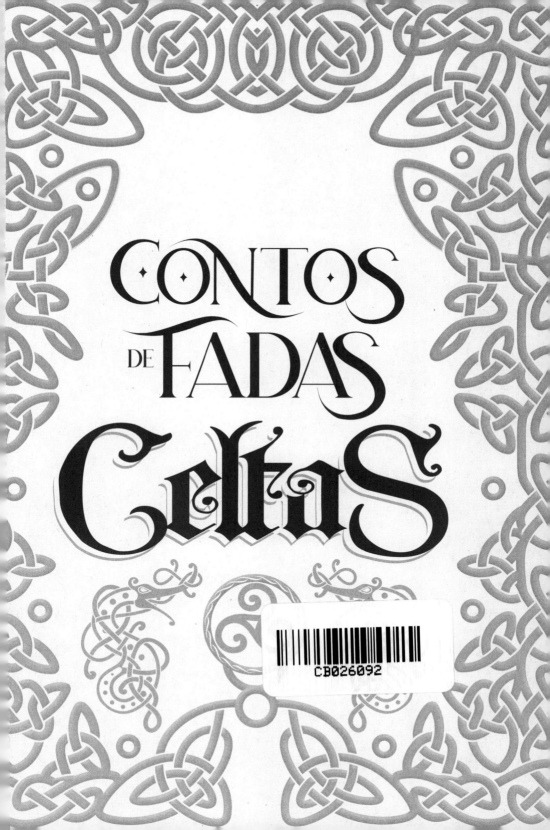

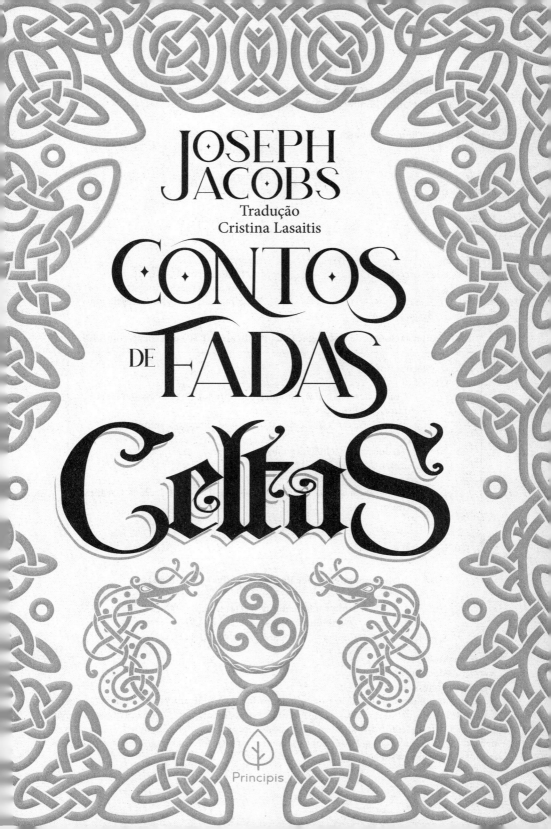

JOSEPH JACOBS

Tradução
Cristina Lasaitis

CONTOS DE FADAS CELTAS

Principis

Esta é uma publicação Principis, selo exclusivo da Ciranda Cultural
© 2021 Ciranda Cultural Editora e Distribuidora Ltda.

Traduzido do original em inglês
Celtic fairy tales

Texto
Joseph Jacobs

Tradução
Cristina Lasaitis

Preparação
Mirtes Ugeda Coscodai

Revisão
Fernanda R. Braga Simon

Produção editorial
Ciranda Cultural

Diagramação
Linea Editora

Design de capa
Ciranda Cultural

Imagens
bc21/shutterstock.com;
Gerasimov Sergei/shutterstock.com
Yulia Buchatskaya/shutterstock.com

Dados Internacionais de Catalogação na Publicação (CIP) de acordo com ISBD

J17c	Jacobs, Joseph
	Contos de fadas celtas / Joseph Jacobs ; traduzido por Cristina Lasaitis. - Jandira, SP : Principis, 2021.
	192 p. ; 15,5cm x 22,6cm. – (Clássicos da literatura mundial)
	Tradução de: Celtic fairy tales
	ISBN: 978-65-5552-512-0
	1. Literatura inglesa. 2. Contos. 3. Contos de fadas. I. Lasaitis, Cristina. II. Título. III. Série.
2021-1707	CDD 823.91
	CDU 821.111-3

Elaborado por Vagner Rodolfo da Silva - CRB-8/9410

Índice para catálogo sistemático:
1. Literatura inglesa : Contos 823.91
2. Literatura inglesa : Contos 821.111-3

1ª edição em 2021
www.cirandacultural.com.br
Todos os direitos reservados.
Nenhuma parte desta publicação pode ser reproduzida, arquivada em sistema de busca ou transmitida por qualquer meio, seja ele eletrônico, fotocópia, gravação ou outros, sem prévia autorização do detentor dos direitos, e não pode circular encadernada ou encapada de maneira distinta daquela em que foi publicada, ou sem que as mesmas condições sejam impostas aos compradores subsequentes.

Sumário

Prefácio 11

Connla e a Fada Donzela 17
Guleesh 20
O campo do leprechaum 34
As mulheres com chifres 38
Conall Garra-Amarela 41
Hudden, Dudden e Donald O'Neary 51
O pastor de Myddvai 58
O alfaiate astucioso 61
A história de Deirdre 64
Munachar e Manachar 77
Árvore de Ouro e Árvore de Prata 82
O rei O'toole e sua gansa 86
O pretendente de Olwen 90
Jack e seus companheiros 100
Shee an Gannon e Gruagach Gaire 107
O contador de histórias em apuros 114
A sereia 124
Uma lenda de Knockmany 133
Bela, morena e trêmula 142
Jack e seu patrão 152

O túmulo de Gellert 160

A história de Ivan 162

Andrew Coffey... 166

Batalha dos pássaros 170

Sopa na casca do ovo 183

O rapaz com pele de bode.. 185

Diga isto três vezes, de olhos fechados:
Mothuighim boladh an Éireannaigh bhinn
bhreugaigh faoi m'fhóidín dúthaigh.
E você vai ver
O que vai ver.

Para
ALFRED NUTT

Prefácio

No ano passado, ao dar aos jovens um volume de *Contos de fadas ingleses*, minha dificuldade havia sido conseguir compilá-los. Desta vez, ao oferecer amostras da rica fantasia folclórica dos celtas destas ilhas, meu problema tem sido selecioná-los. A Irlanda começou a coletar seus contos populares quase tão cedo quanto qualquer país da Europa, e Croker encontrou toda uma escola de sucessores em Carleton, Griffin, Kennedy, Curtin e Douglas Hyde. A Escócia tinha o grande nome de Campbell e ainda tem seguidores importantes em MacDougall, MacInnes, Carmichael, Macleod e Campbell de Tiree. O nobre País de Gales não tem um nome para figurar ao lado desses; nessa área, os Cymru mostraram menos vigor do que os Gaedhel. Talvez o Eisteddfod[1], ao oferecer prêmios pela compilação de contos populares galeses, possa corrigir essa desvantagem. Enquanto isso, o País de Gales deve se contentar em ser pouco representado entre os *Contos de fadas celtas*, enquanto a extinta língua da Cornualha contribuiu com apenas um conto.

Ao fazer minha seleção, tentei principalmente tornar as histórias mais peculiares. Teria sido fácil, especialmente para Kennedy, fazer um volume inteiro com "Duendes de Grimm" à moda celta. Mas, às vezes, mesmo

---

[1] Trata-se de um festival com competições de música e poesia que ocorre anualmente no País de Gales. (N.T.)

essas coisas boas podem ser excessivas; por essa razão, evitei tanto quanto possível as "fórmulas" mais conhecidas da literatura de contos populares. Para fazer isso, tive de me retirar da língua inglesa "pale"[2] dominante na Escócia e na Irlanda e estabeleci a regra de incluir apenas contos que foram obtidos de camponeses celtas que não sabiam inglês.

Tendo estabelecido a regra, imediatamente comecei a quebrá-la. Estou convencido de que o sucesso de um livro de contos de fadas depende da devida mistura do cômico com o romântico: Grimm e Asbjörnsen conheciam esse segredo, e ninguém mais. Mas o camponês celta que fala gaélico tem o prazer de contar histórias com certa tristeza: na medida em que ele foi traduzido e publicado, eu o achei, para minha surpresa, visivelmente carente de humor. Para acrescentar alívio cômico a este livro, precisei, portanto, voltar-me principalmente para o camponês irlandês que fala a língua inglesa; e que fonte mais rica eu poderia ter?

Para as histórias mais românticas, dependi do gaélico e, como sei tanto gaélico quanto saberia um político nacionalista irlandês, tive que depender de tradutores. No entanto, ao alterar, recortar e modificar os contos originais, eu me senti mais livre do que os próprios tradutores, que geralmente são demasiado literais. E fui ainda mais longe. Para que os contos sejam peculiarmente celtas, prestei mais atenção aos que podem ser encontrados em ambos os lados do Canal do Norte.

Ao recontá-los, não tive nenhum escrúpulo ao acrescentar de vez em quando um incidente escocês em uma variante irlandesa da mesma história, ou vice-versa. Nos pontos em que tradutores acenam para os folcloristas e estudiosos ingleses, estou tentando atrair crianças inglesas. Eles traduziram, e eu me dediquei a transladar. Em suma, tentei me colocar na posição de um *ollamh* ou *sheenachie* familiarizado com as duas formas do gaélico e ansioso para formular suas histórias da melhor maneira para atrair as crianças inglesas. Acredito que serei perdoado pelos estudiosos celtas pelas mudanças que tive de fazer para atender essa finalidade.

As histórias coletadas neste volume são mais longas e detalhadas do que as inglesas que reuni no Natal passado. As românticas são certamente mais

---

[2] Referente aos irlandeses sob a colonização inglesa. (N.T.)

românticas, e as cômicas, talvez mais cômicas, embora possa haver espaço para diferenças de opinião sobre este último ponto. Essa superioridade dos contos folclóricos celtas se deve tanto às condições em que foram coletados quanto a qualquer superioridade inata da imaginação popular. O conto popular na Inglaterra está nos últimos estágios de exaustão. Os contos folclóricos celtas foram coletados enquanto a prática de contar histórias ainda está em pleno vigor, embora haja todos os sinais de que sua vida já esteja com os dias contados. Esse é mais um motivo pelo qual eles devem ser coletados e registrados enquanto é tempo. De modo geral, o esforço dos colecionadores de folclore celta deve ser elogiado.

Embora tenha me empenhado em tornar a linguagem dos contos simples e livre de artifícios livrescos, não me atribuí a liberdade de recontá-los à maneira inglesa. Não tive escrúpulos em manter uma forma de falar celta e, aqui e acolá, incluir uma palavra celta sem uma explicação entre colchetes, uma prática a ser repudiada por todos os bons homens. Algumas palavras desconhecidas do leitor apenas acrescentam efetividade e cor local a uma narrativa, como o senhor Kipling bem sabe.

Há uma característica do folclore celta que me esforcei para representar em minha seleção, porque é quase única atualmente na Europa. Em nenhum outro lugar existe um legado tão grande e consistente de tradição oral sobre os heróis nacionais e míticos como entre os gaélicos. Apenas as canções heroicas da Rússia podem igualar-se à quantidade de conhecimento sobre os heróis do passado que ainda existe entre os camponeses de língua gaélica da Escócia e da Irlanda. E os contos e baladas irlandeses têm essa peculiaridade: alguns deles sobrevivem, e podem ser rastreados, por quase mil anos. Selecionei como um espécime dessa categoria "A história de Deirdre", coletada entre os camponeses escoceses há alguns anos, na qual pude inserir uma passagem retirada de um pergaminho irlandês do século XII. Eu poderia ter preenchido este livro com tradições orais semelhantes sobre Fin (o Fingal de "Ossian", de Macpherson). Mas a história de Fin, contada pelos camponeses gaélicos de hoje, merece um volume à parte, enquanto as aventuras do herói ultoniano, Cuchulain, poderiam facilmente preencher outro.

Esforcei-me para incluir neste livro as melhores e mais típicas histórias contadas pelos principais mestres do conto popular celta, Campbell, Kennedy, Hyde e Curtin, e a elas acrescentei os melhores contos obtidos de outros lugares. Assim, espero ter reunido um volume contendo os melhores e mais conhecidos contos populares celtas. Só fui capaz de fazer isso graças à cortesia daqueles que possuíam os direitos autorais dessas histórias. Lady Wilde gentilmente me cedeu o uso de sua versão de "As mulheres com chifres"; e tenho que agradecer especialmente aos senhores Macmillan pelo direito de usar as *Ficções lendárias* de Kennedy, e aos senhores Sampson Low & Co., pelo uso dos *Contos* do senhor Curtin.

Ao fazer minha seleção, e em todos os pontos de tratamento em que pesavam dúvidas, tive acesso ao amplo conhecimento de meu amigo, senhor Alfred Nutt, em todos os ramos do folclore celta. Se este livro faz um esforço para transmitir às crianças inglesas a visão, a cor, a magia e o encanto do imaginário popular celta, isso se deve em grande parte ao cuidado com que o senhor Nutt acompanhou sua produção desde o início. Em sua companhia, eu poderia me aventurar em regiões onde um não celta teria que vaguear por sua própria conta e risco.

Por último, devo mais uma vez me alegrar por ter tido o auxílio de meu amigo, o senhor J. D. Batten, para dar forma às criações da fantasia popular. Ele empregou em suas ilustrações o máximo possível da ornamentação celta; e para todos os detalhes da arqueologia celta, ele é uma autoridade. Ainda assim, tanto ele quanto eu temos nos esforçado para dar às coisas celtas a aparência que elas têm para atrair a mente inglesa, em vez de lançar mão à tarefa inútil de representá-las como devem parecer para os celtas. O destino dos celtas no Império Britânico parece ser semelhante ao dos gregos em relação aos romanos. "Eles iam para a batalha, mas sempre eram derrotados"; entretanto, o cativo celta escravizou seu captor no reino da imaginação. O presente livro tenta iniciar esse agradável cativeiro a partir dos primeiros anos. Se conseguir dar um terreno comum de riqueza imaginativa aos filhos dos celtas e dos saxões dessas ilhas, poderá fazer mais por uma verdadeira união de corações do que toda a sua política.

Joseph Jacobs

Homem ou mulher, menino ou menina que ler três vezes o que vem a seguir cairá em sono por cem anos.

Connla e a Fada Donzela

Connla do Cabelo de Fogo era filho de Conn das Cem Batalhas. Um dia, enquanto estava ao lado de seu pai no alto do Usna, ele viu uma donzela vestida com roupas estranhas vindo em sua direção.

– De onde vem, donzela? – perguntou Connla.

– Eu venho das Planícies dos Que Vivem Para Sempre – disse ela. – Ali não há morte nem pecado. Ali sempre é feriado, e nossa alegria não depende da ajuda de ninguém. Em todo o nosso prazer, não enfrentamos contendas. E, porque temos nossas casas nas colinas verdes, os homens nos chamam de Povo das Colinas.

O rei e todos os que estavam com ele se maravilharam ao ouvir uma voz quando não viam ninguém; pois, com exceção de Connla, ninguém viu a Fada Donzela.

– Com quem você está falando, meu filho? – perguntou Conn, o rei.

Então a donzela respondeu:

– Connla fala com uma jovem e bela donzela, que não espera a morte nem a velhice. Eu amo Connla, e agora o chamo para longe, para Moy Mell, a Planície do Prazer, onde Boadag é rei e não existem queixas nem tristezas desde que ele subiu ao trono. Ah, venha comigo, Connla do Cabelo de Fogo, de pele morena e avermelhada como o amanhecer. Uma coroa das fadas espera por você para adornar sua linda fronte e figura real. Venha, e nunca a sua beleza e a sua juventude hão de perecer, até o dia do terrível julgamento final.

O rei, temendo o que disse a donzela, a quem ouviu, embora não pudesse ver, chamou em voz alta seu druida, de nome Coran.

– Ah, Coran dos muitos feitiços e da hábil magia – ele disse –, eu invoco a sua ajuda. Tenho sobre mim uma tarefa muito maior que toda a minha destreza e inteligência, maior do que qualquer outra tarefa que tenha assumido desde que tomei a coroa. Uma donzela invisível nos encontrou, e por seu poder tiraria de mim meu querido, meu belo filho. Se você não ajudar, ele será tirado de seu rei por artimanhas e feitiçaria de mulher.

Então, Coran, o druida, deu um passo adiante e entoou seus feitiços em direção ao local onde a voz da donzela havia sido ouvida. E ninguém ouviu a voz dela novamente, nem Connla pôde mais vê-la. Mas, quando ela desapareceu, antes do poderoso feitiço do druida, ela jogou uma maçã para Connla.

Durante um mês inteiro, a partir desse dia, Connla não comeu nem bebeu nada, exceto aquela maçã. No entanto, conforme a comia, a maçã novamente crescia, de modo que sempre se mantinha inteira. E o tempo todo cresceu, dentro dele, um desejo e uma saudade imensa da donzela que ele tinha visto.

Quando chegou o último dia do mês, Connla ficou ao lado do rei, seu pai, na Planície de Arcomin, e novamente ele viu a donzela vir em sua direção, e mais uma vez ela falou com ele.

– É um lugar glorioso, sem dúvida, que Connla mantém entre os mortais de vida curta que esperam o dia em que vão morrer. Mas agora os imortais, o povo da vida eterna, imploram e ordenam que venha a Moy Mell, a Planície do Prazer, pois eles o conheceram, vendo-o em sua casa entre seus entes queridos.

Quando o rei Conn ouviu a voz da donzela, ele chamou seus homens em voz alta e ordenou:

– Chamem rápido o meu druida, Coran, pois vejo que ela tem novamente o poder da fala.

Então a donzela disse:

– Oh, poderoso Conn, guerreiro de uma centena de batalhas, o poder do druida não é benquisto, pois, na terra poderosa povoada pelos justos, ele é um homem de pouca honra. Quando a lei vier, ela acabará com os feitiços mágicos do druida, que vêm dos lábios do falso demônio negro.

Então, o rei Conn observou que, desde que a donzela viera, seu filho Connla não falava com ninguém que se dirigisse a ele. Conn das Cem Batalhas perguntou a Connla:

– É isso que você pensa sobre o que a mulher diz, meu filho?

– É difícil explicar, meu pai – respondeu Connla. – Amo meu próprio povo acima de todas as coisas; mas, ainda assim, um forte desejo pela donzela se apodera de mim.

Quando a donzela ouviu isso, ela disse:

– O oceano não é tão forte quanto as ondas do seu desejo. Venha comigo em minha barca, a canoa de cristal reluzente que desliza sempre em frente. Em breve poderemos chegar ao reino de Boadag. Vejo o sol brilhante afundar, mas, mesmo assim, por distante que esteja, podemos alcançá-lo antes do escurecer. Existe, também, outra terra digna de sua jornada, uma terra bem-aventurada para todos os que a procuram. Se quiser, podemos procurá-la e viver lá sozinhos, mas juntos na alegria.

Quando a donzela terminou de falar, Connla do Cabelo de Fogo correu para longe deles e saltou na canoa de cristal reluzente. Então o rei e toda a corte viram-no deslizar sobre o mar brilhante em direção ao sol poente. Adiante e além, até que os olhos não pudessem mais ver, Connla e a Fada Donzela seguiram seu caminho através do mar e não foram mais vistos, e nunca se soube onde a jornada os fez chegar.

Guleesh

Era uma vez um rapaz no Condado de Mayo, o nome dele era Guleesh. Havia uma magnífica fortaleza circular um pouco afastada da divisa da casa onde vivia, e ele tinha o hábito de se sentar sobre o outeiro de relva vistosa que a circundava. Certa noite, meio apoiado na cerca da casa, ele olhou para o céu e contemplou a linda lua branca acima de sua cabeça. Depois de ficar assim por algumas horas, disse a si mesmo:

– Minha maior tristeza é nunca ter saído deste lugar. Preferia estar em qualquer outra parte do mundo. Ah, quem está em melhor situação é você, lua branca, que fica aí dando voltas e mais voltas como bem queira, sem ninguém que possa lhe segurar. Eu queria ser igual a você!

As palavras mal haviam saído da boca dele quando Guleesh escutou um barulho enorme que troava como uma multidão de pessoas correndo enquanto tagarelavam, riam e brincavam. O som passou por ele como um redemoinho de vento, e ele o ouviu entrar na fortaleza circular.

– Caramba! – exclamou ele. – São todos alegres demais! Vou segui-los.

O que havia ali diante dele não era nada menos que uma hoste feérica[3], embora Guleesh não soubesse disso a princípio. Ele a seguiu para dentro

---

[3] Também conhecida como *Sluagh Sidhe* no folclore irlandês, escocês, galês e da Ilha de Man. Trata-se de uma revoada de seres mágicos capaz de carregar pessoas no ar; é também causadora de redemoinhos e de mau tempo. (N.T.)

da fortaleza. Foi ali que ouviu o *fulparnee* e o *folpornee*, o *rap-lay-hoota* e o *roolya-boolya*[4], e cada um daqueles seres gritou o mais alto que podia: "Meu cavalo, meu arreio e minha sela! Meu cavalo, meu arreio e minha sela!"

– Caramba! – entusiasmou-se Guleesh. – Rapaz, isso não parece mau. Vou imitá-los. – E ele gritou tão alto quanto os demais: – Meu cavalo, meu arreio e minha sela! Meu cavalo, meu arreio e minha sela!

Nesse mesmo instante, surgiu diante dele um belo cavalo com arreios de ouro e sela de prata. Ele subiu e, uma vez em cima da montaria, viu claramente que a fortaleza estava cheia de cavalos e de gente pequena montando neles. Uma dessas pessoas se dirigiu a ele:

– Você vem conosco esta noite, Guleesh?
– Com certeza – o rapaz respondeu.
– Se tem certeza, venha – convidou o homenzinho.

E todos eles saíram juntos, cavalgando como o vento, mais rápido que o cavalo mais ágil que você já viu em uma caçada, mais rápido que uma raposa e os cães de caça no seu rastro.

O vento frio de inverno à frente deles, eles o sobrepujaram; e o vento frio de inverno atrás deles não foi capaz de alcançá-los. Não pararam nem se detiveram em sua corrida, a não ser quando chegaram à beira-mar. Então, todos gritaram:

– Eia, para o alto! Para o alto!

E nesse mesmo instante estavam suspensos no ar. Antes que Guleesh tivesse tempo de se pensar onde estava, já corriam em terra firme de novo, cavalgando como o vento.

Por fim eles pararam, e um dos homens perguntou a Guleesh:

– Guleesh, você sabe onde está agora?
– Não faço ideia – respondeu o rapaz.
– Você está na França, Guleesh – disse o homem. – A filha do rei da França vai se casar esta noite. Ela é a mulher mais bonita que o sol já viu, e precisamos fazer o possível para trazê-la conosco. Se ao menos pudéssemos

---

[4] Segundo Kate Douglas Wiggin, esses são ruídos indicativos do convívio alegre, travesso e ímpar das criaturas feéricas. (N.T.)

carregá-la... Você deve vir conosco para trazê-la no lombo do seu cavalo quando a levarmos embora, pois para nós é proibido que ela se sente às nossas costas. Você é de carne e osso, portanto ela poderá se segurar em você para não cair do cavalo. Isso o deixa contente, Guleesh? Fará o que estamos mandando?

– E por que não? – perguntou Guleesh. – Isso me contenta, com certeza, e qualquer coisa que você me pedir para fazer, farei sem titubear.

Eles desceram dos cavalos, um homem disse uma palavra que Guleesh não entendeu, e nesse mesmo instante foram erguidos no ar e Guleesh se viu com seus companheiros já dentro do palácio. Uma grande festa acontecia lá, e não havia nobre ou cavalheiro daquele reino que estivesse ausente; vestiam-se todos com sedas e cetim, cobriam-se de ouro e prata. A noite estava tão clara quanto o dia, com tantas lamparinas e velas acesas, e Guleesh fechou os olhos ante a claridade. Quando os abriu novamente e os deixou olhar adiante, ele pensou que nunca tinha visto algo tão magnífico quanto tudo o que havia ali. Encontrou uma centena de mesas espalhadas, todas repletas de comida e bebida: carnes, bolos e guloseimas, vinho, cerveja e todas as bebidas que um homem já viu. Havia músicos nas duas extremidades do salão e tocavam a música mais doce que o ouvido humano já escutou; no meio do recinto, moças e belos rapazes dançavam e giravam em giros tão rápidos e com tanta leveza que Guleesh quase ficou tonto de olhar para eles. Havia convidados fazendo brincadeiras, e outros contando piadas e rindo. Não acontecia uma festa como essa na França havia vinte anos, pois o velho rei não tinha outros filhos além de sua única filha, que nesta noite se casaria com o filho de outro rei. A festa se desenrolava havia três dias, e na terceira noite ela se casaria; e foi por isso que nesta noite a hoste dos duendes veio para cá, na esperança de conseguir carregar a jovem filha do rei consigo. Guleesh e seus companheiros estavam juntos na dianteira do salão, onde havia um belo altar decorado e, atrás dele, dois bispos esperavam para realizar o casamento da jovem assim que a hora chegasse. Nesse momento ninguém podia ver os duendes, porque, assim que entraram no salão, pronunciaram uma palavra mágica que os tornara invisíveis. Era como se não estivessem ali.

— Diga-me qual delas é a filha do rei – pediu Guleesh, acostumando-se com o barulho e a luminosidade.

— Não consegue vê-la ali, afastada de você? – perguntou o homenzinho com quem ele estava falando.

Guleesh olhou para onde o homenzinho apontava com o dedo, e lá ele viu a mulher mais adorável que poderia existir no ápice do universo. No rosto dela competiam a rosa e o copo-de-leite, e era impossível dizer qual dos dois vencia. Ela tinha braços e mãos como ramos de visco, e sua boca era vermelha como um morango maduro; os pés dela eram tão pequenos e leves como suas mãos delicadas; sua figura era delgada e esguia, e seus cabelos pendiam do alto da cabeça como volutas de ouro. O vestido e os complementos eram tecidos em ouro e prata, e a pedra brilhante no anel em sua mão cintilava como o sol.

Os olhos de Guleesh ficaram ofuscados por toda a beleza e graciosidade que havia nela; porém, quando olhou novamente, ele notou que ela chorara, pois havia vestígios de lágrimas em seus olhos.

— Não pode ser que haja tanta tristeza nela – disse Guleesh –, quando todos ao seu redor estão animados e alegres.

— Ela está triste – disse o homenzinho – porque vai se casar contra a sua própria vontade, e ela não ama o futuro marido. O rei ia entregá-la ao jovem prometido três anos atrás, quando ela tinha apenas quinze anos, mas ela disse que era muito jovem e pediu que ele esperasse. O rei lhe concedeu um ano e, quando esse ano acabou, ele deu-lhe a graça de outro ano, e depois mais um. No entanto, não lhe deu mais uma semana nem um dia sequer. Esta noite ela completa dezoito anos e é hora de ela se casar. Mas, para falar a verdade – o homenzinho torceu a boca de um jeito estranho e feio –, ela não se casará com nenhum filho de rei se eu puder evitar.

Guleesh sentiu muita pena da bela jovem quando soube disso e ficou com o coração partido ao pensar que ela seria obrigada a se casar com um homem de quem não gostava, ou, o que podia ser pior, ganharia um duende desagradável como marido. Ele não disse uma palavra, embora estivesse amaldiçoando o azar de estar ali para ajudar as pessoas que iam raptar a moça de sua casa e de seu pai.

Ele começou a pensar, então, no que fazer para salvá-la, mas não conseguia pensar em uma boa ideia.

– Ah! Se ao menos eu pudesse lhe dar alguma ajuda ou alívio – disse Guleesh –, não me importaria de viver ou morrer; mas não vejo nada que eu possa fazer por ela.

Ele a observava quando o filho do rei se aproximou da moça e pediu um beijo, mas ela virou a cabeça na outra direção. Guleesh sentiu uma compaixão redobrada quando viu o rapaz pegá-la pela mão branca e macia e puxá-la para dançar. Enquanto dançavam, deram uma volta perto de Guleesh, e ele pôde ver claramente que ainda havia lágrimas nos olhos dela.

Quando a dança acabou, o velho rei, que era o pai dela, e a rainha, sua mãe, aproximaram-se dos noivos e disseram que estava na hora da cerimônia, que o bispo estava pronto e era hora de colocar a aliança de casamento e dá-la ao marido. O rei pegou o jovem pela mão e a rainha levou sua filha, e eles subiram juntos ao altar, com os nobres e o povo a segui-los.

Quando estavam a três metros do altar, o pequeno duende esticou o pé diante da moça, e ela caiu. Antes que ela pudesse se levantar, ele atirou sobre ela algo que tinha nas mãos e pronunciou algumas palavras; naquele momento a donzela desapareceu do meio deles. Ninguém podia vê-la, pois a magia a tornara invisível. O homenzinho a agarrou e a levantou atrás de Guleesh. Nem o rei nem ninguém mais os viu, mas o duende caminhou com eles pelo vestíbulo, até que chegaram à porta.

Valha-nos, Nossa Senhora! A comoção, a confusão, os gritos, o espanto, a procura e a balbúrdia foram instaurados quando a moça desapareceu diante dos olhos de todos, sem que ninguém visse nem soubesse como isso aconteceu. Eles saíram pela porta do palácio, sem serem parados ou impedidos, pois ninguém os viu, e...

– Meu cavalo, meu arreio e minha sela! – gritou cada um dos homens.

– Meu cavalo, meu arreio e minha sela! – gritou Guleesh, e em um instante o cavalo estava pronto e arreado diante dele.

– Agora, monte, Guleesh – disse o homenzinho –, e coloque a moça atrás de você. Vamos, pois o amanhecer se aproxima.

Guleesh ajudou-a a montar no cavalo e saltou diante dela, bradando:

– Avante, cavalo! – ordenou ele, e seu cavalo, assim como os outros, debandou em uma corrida veloz até chegar ao mar.

– Eia, para o alto! – gritou cada um dos homens.

– Para o alto! – exclamou Guleesh, e em um instante o cavalo se ergueu, mergulhou nas nuvens e desceu em Erin.

Mas não se detiveram, continuaram correndo a galope até alcançar a casa de Guleesh e a fortaleza circular. E, quando chegaram lá, Guleesh se virou, pegou a jovem nos braços e saltou do cavalo.

– Em nome de Deus eu clamo e a consagro para mim! – exclamou ele.

E naquele mesmo lugar, enquanto as palavras saíam de sua boca, o cavalo caiu e se tornou tão somente o suporte de um arado, do qual haviam feito um cavalo; e todos os outros cavalos que os duendes possuíam tinham sido transformados da mesma forma. Alguns deles estavam montados em uma velha vassoura, outros em uma vara quebrada, e ainda outros em galhos de tasneira ou de cicuta.

Os homenzinhos gritaram em uníssono quando ouviram o que Guleesh havia dito:

– Oh! Guleesh, seu palhaço, seu ladrão, que nada de bom cruze o seu caminho! Por que você pregou essa peça em nós?

Eles já não tinham nenhum poder para levar a moça depois que Guleesh a consagrara para si.

– Oh! Guleesh, que decepção você nos causou, ainda mais depois que fomos tão gentis com você! De que serve agora nossa viagem à França? Mas deixe estar, seu traidor, pois você ainda vai nos pagar por isso. Acredite, você vai se arrepender!

– Ele não conseguirá nada que preste desta moça – disse o homenzinho que estivera conversando com ele no salão do palácio; e, enquanto dizia isso, ele se aproximou dela e lhe desferiu um forte tapa na lateral da cabeça. – Agora – disse ele – ela não vai mais falar. Agora, Guleesh, de que adianta ela ser sua se estiver muda? É hora de irmos embora. Mas você se lembrará de nós, Guleesh!

Quando ele disse isso, estendeu as duas mãos e, antes que Guleesh pudesse responder, o homenzinho e seus camaradas foram para dentro da fortaleza e para longe de sua vista. Guleesh não os viu mais.

Ele voltou-se para a moça e disse:

– Graças a Deus, eles se foram. Você não acha melhor ficar comigo do que com eles?

Ela não respondeu.

"Ela ainda está triste e traumatizada", pensou Guleesh dentro de sua própria mente, e ele falou com ela de novo:

– Receio que você deva passar esta noite na casa do meu pai, senhora, e, se houver algo que eu possa fazer por você, diga-me, e serei seu servo.

A linda jovem permaneceu em silêncio, mas havia lágrimas em seus olhos, e seu rosto ficou ora branco, ora vermelho, uma cor se sobrepondo à outra.

– Senhora – disse Guleesh –, diga-me o que gostaria que eu fizesse. Nunca pertenci a esse bando de duendes que a arrebataram. Sou filho de um fazendeiro honesto e fui com eles sem saber de nada. Se eu puder ajudá-la a voltar para o seu pai, eu o farei, e peço para que você ordene a mim agora o que desejar.

Ele olhou para o rosto dela e viu os lábios se mover como se ela fosse falar, mas não ouviu nenhuma palavra.

– Não é possível que você esteja muda! – exclamou Guleesh. – Não a ouvi falar com o filho do rei no palácio esta noite? Será que aquele diabo realmente a tornou muda, quando lhe bateu com a mão nojenta no rosto?

A jovem ergueu a mão branca e colocou o dedo na língua, para mostrar a ele que havia perdido a voz e o poder da fala. As lágrimas escorreram de seus olhos como riachos, e os olhos de Guleesh também se umedeceram, pois, por mais rude que ele aparentasse ser, na verdade era um homem bom, tinha o coração mole e não suportava ver a jovem naquela situação infeliz.

Ele começou a pensar sobre o que deveria fazer, porque não queria levá-la para a casa de seu pai, pois sabia muito bem que a família não acreditaria que ele estivera na França e trouxera consigo a filha do rei. Guleesh temia que zombassem da jovem ou a insultassem.

Enquanto hesitava e não se decidia sobre o que deveria fazer, lembrou-se, por acaso, do padre.

– Glória a Deus, agora sei o que fazer! Vou levá-la para a casa do padre. Ele não se recusará a hospedar uma moça e cuidar dela.

Guleesh voltou-se novamente para a jovem e disse-lhe que não queria levá-la para a casa do pai, mas que havia um bondoso padre, muito amigo dele, que cuidaria bem dela se ela quisesse ficar em sua casa; mas, se houvesse qualquer outro lugar aonde ela preferisse ir, Guleesh assegurou que a levaria até lá.

Ela abaixou a cabeça para mostrar a ele que estava agradecida, e deu a entender que estava pronta para segui-lo a qualquer lugar que ele fosse.

– Vamos então à casa do padre – disse ele. – Ele me deve um favor e fará tudo o que eu pedir.

De acordo com o plano, foram juntos até a casa do padre, e o sol estava prestes a raiar quando chegaram à porta. Guleesh bateu forte, e, apesar de ser ainda muito cedo, o padre se levantou e abriu a porta. Espantou-se ao ver Guleesh em companhia da moça, pois tinha certeza de que iam querer se casar.

– Guleesh, Guleesh, será que você não pode fazer a bondade de esperar até as dez horas ou talvez meio-dia? Não! Você e sua namorada têm de vir logo a esta hora da manhã atrás de um casamento! Deve saber que não posso casar vocês neste momento, ou, em todo caso, não posso casá-los legalmente. Mas espere aí! – interrompeu-se o padre, de repente, ao olhar mais uma vez para a jovem. – Em nome de Deus, quem é esta que está com você? Como você a conheceu?

– Padre – disse Guleesh –, você pode me casar ou casar quem quer que seja, como preferir; mas não é em busca de casamento que vim até você. Vim para lhe pedir que, por favor, hospede esta moça em sua casa.

O padre olhou para Guleesh como se ele tivesse dez cabeças, tão surpreso ele estava. Contudo, sem fazer mais perguntas, ele pediu que entrassem. Assim que adentraram, o padre fechou a porta e os conduziu à sala, onde se sentaram.

– Agora, Guleesh – disse ele –, diga-me quem essa jovem é de verdade, e se você realmente está fora de si ou se está apenas brincando comigo.

– Não estou mentindo nem zombando do senhor – explicou Guleesh. – Eu trouxe esta moça do palácio do rei da França, e ela é a filha do rei.

Então Guleesh começou a contar toda a história ao padre, que ficou tão surpreso que às vezes não conseguia deixar de exclamar e de bater palmas.

Quando Guleesh contou o que viu e que achou que a garota não estava satisfeita com o casamento que aconteceria no palácio antes que ele e os duendes se separassem, surgiu um rubor vermelho na face da moça, e ele teve certeza de que ela preferia estar onde estava, na situação precária em que se encontrava, a ser esposa de um homem que ela detestava. Quando Guleesh disse que ficaria muito grato ao padre se a mantivesse em sua casa, o homem gentilmente disse que faria como Guleesh quisesse, mas que não sabia o que deveriam fazer com ela, porque eles não tinham meios para mandá-la de volta ao pai.

Guleesh respondeu que compartilhava dessa preocupação e que não via nada a fazer a não ser manter segredo até que eles descobrissem uma solução melhor. Então, combinaram que o padre diria que a moça era filha de seu irmão, que viera de outro condado para visitá-lo, e ele diria a todos que ela era muda e faria o possível para manter todos longe dela. Contaram à jovem o que pretendiam fazer, e com o olhar ela lhes mostrou que se sentia grata.

Guleesh então foi para casa e, quando seus familiares lhe perguntaram onde ele tinha estado, ele disse que havia dormido à beira do fosso e que passara a noite ali.

Os vizinhos do padre ficaram muito surpresos com a jovem que chegara tão repentinamente à sua casa, sem ninguém saber de onde ela era nem o que viera fazer ali. Havia quem dissesse que as coisas estavam um pouco diferentes do que deveriam, outros diziam que Guleesh já não era o mesmo homem, e que, portanto, havia uma história grande ali, pelo modo como ele se dirigia todos os dias à casa do sacerdote, e como o padre tinha tanta afeição por ele e o respeitava. Essas pequenas mudanças de atitude as pessoas não conseguiam entender de forma alguma.

De fato, isso era verdade, pois raramente se passava um dia sem que Guleesh fosse à casa do padre para conversar com ele e, sempre que ia, esperava encontrar a jovem novamente e tinha permissão para falar com ela. Porém, que lástima! Ela continuava muda, sem alívio nem cura. Uma vez que ela não tinha outro meio de falar, entabulava-se uma espécie de conversa entre os dois, gesticulando com as mãos e os dedos, piscando os olhos, abrindo e fechando a boca, rindo ou sorrindo, e fazendo mil outros sinais, de modo que não demorou muito para que pudessem se comunicar e se entender muito bem. Guleesh estava sempre pensando em como faria para mandá-la de volta para o pai, mas não havia ninguém para acompanhá-la, e ele próprio não sabia que caminho seguir, pois nunca tinha saído de seu próprio país antes da noite em que a trouxera consigo. Tampouco sabia o padre, mas, quando Guleesh lhe pediu, ele escreveu três ou quatro cartas ao rei da França e as entregou a mercadores, que costumavam ir de um lugar para outro através do mar. Entretanto, todas as cartas se extraviaram, e nenhuma chegou às mãos do rei.

Durante muitos meses, as coisas prosseguiram desse jeito, e a cada dia Guleesh se via mais apaixonando pela jovem. Estava claro para Guleesh e para o padre que a moça gostava dele também. Por fim, o rapaz passou a temer enormemente que o rei descobrisse onde estava a filha e a tomasse de volta, e rogou ao sacerdote que não escrevesse mais, que deixasse o assunto nas mãos de Deus.

Passou-se um ano, e então, um dia, Guleesh se viu deitado sozinho no gramado no último dia do último mês do outono, e mais uma vez ele relembrou tudo o que havia acontecido desde a noite em que atravessara o mar com os duendes. De repente, lembrou-se de que havia sido em uma noite de novembro que ele se encontrava escorado na cerca da casa quando o redemoinho chegara trazendo os duendes... Ele disse a si mesmo:

– Hoje é uma noite de novembro, então vou ficar exatamente no mesmo lugar onde estive no ano passado e ver se o povo mágico volta a aparecer. Talvez eu consiga ver ou ouvir alguma coisa útil e que possa fazer com que Maria volte a falar.

Esse era o nome com o qual Guleesh e o padre chamavam a filha do rei, uma vez que não conheciam seu nome correto.

Guleesh contou ao padre o seu intento, e ele lhe deu a bênção. Desse modo, quando a noite caía, Guleesh caminhou até a velha fortaleza, onde ficou apoiado com o cotovelo em uma grande rocha cinzenta, à espera da meia-noite. A lua subiu lentamente, como um botão de fogo atrás dele; após um dia de grande calor, uma névoa branca pairou através do frescor da noite sobre os campos de relva e as charnecas. A noite estava calma como um lago quando não há um sopro de vento para mover uma onda, e não havia som algum a ser ouvido a não ser o burburinho dos insetos que passavam de vez em quando, ou o grasnar rouco e súbito dos gansos selvagens quando rumavam de um lago para outro, poucos metros acima da cabeça dele; ou o assobio agudo das tarambolas verdes e amarelas, subindo e descendo, descendo e subindo, como costumam fazer em uma noite calma. Miríades de estrelas brilhantes cintilavam sobre a cabeça dele, e havia um pouco de geada, que deixou a relva sob seus pés branca e crepitante.

Guleesh permaneceu ali por uma, duas, três horas, e a geada aumentou muito, de modo que ele ouvia as folhas se quebrarem sob os pés cada vez que ele se movia. Por fim, pensava consigo mesmo que os duendes não viriam naquela noite e que seria bom voltar outro dia, quando ouviu um som distante, vindo em sua direção, e de imediato ele ficou em alerta. O som aumentou, e no início era como o bater das ondas em uma costa pedregosa; depois, como a queda de uma grande cachoeira e, por fim, como uma forte tempestade na copa das árvores; então, um redemoinho precipitou sobre a fortaleza, e os duendes estavam nele.

Tudo passou por Guleesh tão de repente que ele perdeu o fôlego, mas imediatamente voltou a si e apurou o ouvido para escutar o que eles diziam. Mal haviam se reunido dentro da fortaleza circular, todos começaram a gritar e berrar e falar entre si. Cada um deles gritou:

– Meu cavalo, meu arreio e minha sela! Meu cavalo, meu arreio e minha sela!

Guleesh tomou coragem e gritou tão alto quanto qualquer um deles:

– Meu cavalo, meu arreio e minha sela! Meu cavalo, meu arreio e minha sela!

Mas, antes que as palavras acabassem de sair de sua boca, outro homem gritou:

–Ora! Guleesh, meu garoto, você está aqui conosco de novo? Como está se saindo com sua mulher? Não adianta você chamar o seu cavalo esta noite. Eu lhe garanto, você não vai nos pregar peças de novo. Que belo truque que você nos pregou no ano passado!

– Foi mesmo – disse outro homem –, mas ele não vai fazer isso de novo.

– Não é esse mesmo rapaz que um ano atrás levou consigo uma mulher que nunca lhe disse nada?! – perguntou o terceiro homem.

– Talvez ele goste de olhar para ela – falou outra voz.

– E se o bobalhão soubesse que há uma erva crescendo perto de sua porta que, se ele ferver e der a ela, ela ficará curada? – disse outra voz.

– Isso é verdade.

– Ele é um tolo.

– Não perca seu tempo com ele; vamos embora.

– Vamos deixar o velhinho onde está.

E com isso eles se ergueram no ar e se foram como uma barafunda alegre pelo mesmo caminho por onde vieram; deixaram o pobre Guleesh parado no mesmo lugar onde o encontraram, com olhos fixos na direção deles, em espanto.

Ele não demorou muito para voltar para casa e ficou pensando em tudo o que vira e ouvira e se perguntando se havia realmente uma erva à sua porta que traria de volta a voz para a filha do rei.

– Não é provável que fossem me contar isso por generosidade – disse Guleesh consigo. – Mas talvez o duende tenha se descuidado quando deixou as palavras escaparem de sua boca. Vou procurar essa erva assim que o sol nascer, se é que existe alguma erva crescendo ao lado da casa, além dos cardos e azedinhas.

E naquela noite, por mais cansado que estivesse, não pregou os olhos até que o sol nascesse de manhã. Então, ele se levantou e rapidamente saiu para vasculhar bem a relva ao redor da casa, tentando encontrar alguma erva que não reconhecesse. De fato, não demorou muito até observar uma erva grande e desconhecida que crescia bem perto da parede da casa.

Ele a observou de perto e viu que tinha sete pequenos ramos saindo do caule, e, em cada ramo, sete folhas que produziam uma seiva branca.

– É muito espantoso que eu nunca tenha notado essa erva antes! – admirou-se Guleesh. – Se existe poder nas plantas, então tem mesmo de estar em uma erva tão esquisita quanto esta.

Ele sacou a faca, cortou a planta e levou-a para sua casa; arrancou as folhas e cortou o talo, de onde saiu uma seiva espessa e branca, como a que se extrai da serralha quando se corta uma folha, exceto que esta seiva era mais parecida com óleo.

Ele a despejou em uma caneca com um pouco de água e pôs no fogo até que fervesse; então, pegou um copo, encheu até a metade com o suco resultante e o experimentou. Ocorreu-lhe que talvez aquela fosse uma erva venenosa e que os duendes podiam estar tentando um truque para fazê-lo se matar ou matar a moça por acidente. Ele colocou a xícara sobre a mesa, colocou algumas gotas na ponta do dedo e pôs na boca. Não era amargo; na verdade, tinha um sabor doce e agradável. Então, com mais ousadia, Guleesh bebeu daquele preparado; e de gole em gole só parou quando já tinha bebido metade da xícara. Em seguida, ele adormeceu e só acordou ao anoitecer, quando sentiu uma fome e uma sede muito grandes.

Ele bebeu e comeu. Deitou-se, pois sabia que tinha de esperar até o dia amanhecer; mas decidiu que, assim que acordasse pela manhã, iria até a filha do rei e lhe daria um gole do preparado com a erva. Assim que ele se levantou pela manhã, foi até a casa do padre com a bebida na mão e nunca havia se sentido tão valente, confiante, animado e leve como naquele dia. Ele tinha certeza de que fora a bebida que o deixara tão bem-disposto.

Quando entrou na casa, encontrou o sacerdote e a jovem, e eles contaram que tinham estranhando muito o fato de Guleesh não os visitar havia dois dias. Guleesh lhes contou as novidades e disse que estava certo de que aquela erva possuía grande poder e que não faria mal à moça, pois ele mesmo a havia experimentado e lhe caíra muito bem. Então, ele fez com que a moça a provasse e jurou que a bebida não lhe faria mal.

A moça bebeu metade da xícara que Guleesh lhe entregou, em seguida caiu na cama e teve um sono tão pesado que não despertou até o dia seguinte. Guleesh e o sacerdote ficaram sentados a noite inteira ao lado dela, entre a esperança e o desespero, aguardando que acordasse; tinham a expectativa de salvá-la e o medo de envená-la.

Quando o sol estava no ponto mais alto do céu, ela finalmente acordou. Esfregou os olhos e agiu como uma pessoa que não sabia onde estava. A moça ficou surpresa quando viu Guleesh e o padre no quarto, e se sentou na cama enquanto se esforçava para organizar os pensamentos.

Os dois homens estavam muito ansiosos para saber se ela falaria ou não, e, depois de alguns minutos de silêncio, o padre se dirigiu a ela:
– Dormiu bem, Maria?
E ela respondeu:
– Dormi, sim, obrigada.
Assim que a ouviu falar, Guleesh soltou um grito de alegria, correu até ela, caiu de joelhos e disse:
– Mil graças a Deus, que lhe devolveu o dom de falar. Senhora do meu coração, fale comigo mais uma vez!
A moça respondeu que sabia que ele havia preparado aquela bebida e dado a ela, que estava grata de coração por toda a gentileza que ele demonstrara desde o dia em que ela chegara à Irlanda e que ele podia ter certeza de que ela nunca se esqueceria disso. Guleesh não cabia em si de tanta satisfação e prazer. Em seguida, trouxeram comida, e a jovem comeu com bastante apetite e estava alegre e descontraída, não parava de tagarelar com o padre enquanto comia.
Depois disso, Guleesh foi para casa, espreguiçou-se na cama e adormeceu novamente, pois o poder da erva ainda não havia acabado, e ele passou mais um dia e uma noite dormindo. Quando acordou, voltou para a casa do padre e descobriu que a jovem estava no mesmo estado e que dormia praticamente desde o momento em que ele havia saído. Ele e o padre entraram no quarto dela e permaneceram ali observando até que ela acordasse pela segunda vez e se pusesse a conversar novamente, o que deixou Guleesh muitíssimo contente. Mais uma vez o padre serviu a comida, e eles comeram juntos à mesa. Guleesh continuou vindo à casa do sacerdote todos os dias, e a amizade entre ele e a filha do rei crescia, pois ela não tinha ninguém mais para conversar além de Guleesh e do padre e demonstrava gostar mais da companhia de Guleesh.
Então, eles noivaram e fizeram um belíssimo casamento, e, se eu estivesse lá para testemunhar, não estaria aqui agora para narrar. No entanto, um passarinho me contou que não houve atribulação nem preocupação, doença nem tristeza, infortúnio nem azar que tenha atravessado a vida deles até a hora de sua morte, e que possamos ter todos nós a mesma sorte!

O campo do leprechaum

No dia de Nossa Senhora da Colheita, que todos sabem ser um dos melhores feriados do ano, Tom Fitzpatrick estava dando um passeio ao longo do lado ensolarado de uma cerca viva quando, de repente, ouviu uma espécie de estalido soar perto dele na sebe.

– Caramba – disse Tom –, não é nada comum ouvir sabiás cantando no fim da estação!

Então Tom se aproximou na ponta dos pés para descobrir a origem daquele barulho e para saber se seu palpite estava certo. O ruído parou; mas, quando Tom olhou atentamente através dos arbustos, ele viu no canto da cerca um jarro marrom, que devia ter um galão e meio de bebida alcoólica. Ali, um velhinho bem pequenininho usando um pequeno chapéu tricorne mosqueado e um aventalzinho de couro que cobria a frente do corpo puxou um banquinho de madeira e subiu nele, mergulhou uma caneca no jarro e a retirou cheia de bebida; em seguida, ele se sentou ao pé do jarro e começou a trabalhar, pregando o calcanhar de um sapato de couro feito sob medida para ele.

– Ora, por todos os poderes! – exclamou Tom consigo. – Sempre ouvi falar dos leprechauns e, para dizer a verdade, nunca acreditei que existissem, mas sem sombra de dúvida aqui está um deles. Se eu agir com cautela, serei um homem feito! Dizem que nunca se deve tirar os olhos deles, senão escapam.

Tom se aproximou um pouco mais, com os olhos fixos no homenzinho, do modo como um gato faz com um rato. Então, quando estava bem perto, Tom o cumprimentou:

– Deus abençoe o seu trabalho, vizinho!

O homenzinho levantou a cabeça e falou:

– Meu sincero obrigado.

– Estou surpreso que esteja trabalhando no feriado! – exclamou Tom.

– Isso é problema meu, não seu – foi a resposta.

– Bem, você faria a gentileza de me contar o que tem aí dentro do jarro? – perguntou Tom.

– Conto, com muito prazer – disse ele. – É uma boa cerveja.

– Cerveja! – exclamou Tom. – Pelo fogo e o trovão! Onde você conseguiu essa cerveja?

– Onde eu consegui a cerveja? Ué, fui eu que fiz. Vamos ver se adivinha do que é feita.

– Mas só o diabo pode saber! – reclamou Tom. – Aposto que é de malte. Do que mais seria?

– Então errou. É cerveja de urzes.

– De urzes! – Tom desatou a rir. – Você me acha tão idiota a ponto de acreditar nisso?

– Acredite se quiser – disse o leprechaum. – Mas é verdade. Você nunca ouviu falar dos dinamarqueses?

– O que têm os dinamarqueses? – perguntou Tom.

– Ora, tudo o que se sabe é que, quando eles estiveram por aqui, nos ensinaram a fazer cerveja de urzes, e o segredo está na minha família desde então.

– E você vai me deixar experimentar essa cerveja? – perguntou Tom.

– Vou lhe dizer uma coisa, meu jovem, você faria melhor indo cuidar da propriedade de seu pai do que incomodando pessoas pacatas e decentes com suas perguntas tolas. Pois, veja bem, enquanto você está perdendo seu tempo aqui, suas vacas invadiram a plantação de aveia e estão pisoteando o milharal.

Tom ficou tão surpreso com isso que esteve a ponto de dar meia-volta e correr, mas se conteve. Temendo que isso pudesse acontecer de novo, ele agarrou o leprechaum com a mão, no entanto o movimento brusco derrubou o jarro e derramou toda a cerveja, de modo que ele perdeu a chance de prová-la para saber de que tipo era. Então jurou ao leprechaum que o mataria se não mostrasse onde estava o dinheiro. Tom parecia tão perverso e obstinado que o homenzinho ficou bastante assustado. O leprechaum falou:

– Venha comigo para os campos adiante que eu lhe mostrarei um pote de ouro lá.

Assim eles foram. Tom segurou o leprechaum com firmeza e nunca tirou os olhos de cima dele, embora tivessem que atravessar sebes, valas e um trecho tortuoso de brejo, até que finalmente chegaram a um grande campo coberto de tasneiras, e o leprechaum apontou para uma moita e disse:

– Cave debaixo dessa tasneira e você obterá um grande pote cheio de moedas de ouro.

Em sua pressa, Tom não pensara em trazer uma pá consigo, então decidiu correr para casa e buscar uma. Mas, para que pudesse reconhecer o lugar exato, tirou uma liga de suas meias vermelhas e amarrou ao redor da tasneira. Então, disse ao leprechaum:

– Prometa que não vai tirar essa liga daí.

E o leprechaum jurou imediatamente que não tocaria nela.

– Suponho – o leprechaum falou de um jeito muito civilizado – que você não precisa mais dos meus préstimos.

– Não – respondeu Tom –, você pode ir embora agora, se quiser. Vá com Deus e que a sorte o acompanhe para onde for!

– Bem, adeus, Tom Fitzpatrick – disse o leprechaum –, e desejo que o dinheiro lhe seja muito útil quando você o encontrar.

Tom correu como se sua vida dependesse disso, voltou para casa, pegou uma pá, e então saiu com ela e correu o mais rápido que pôde de volta ao campo de tasneiras. Entretanto, quando ele chegou lá, vejam só! Não havia nem uma tasneira sequer ostentando uma liga vermelha como aquela que ele havia amarrado; e cavar o campo de tasneiras inteiro seria um disparate, pois o campo tinha mais de quarenta acres irlandeses[5]. Então Tom voltou para casa com a pá no ombro, um pouco mais desanimado, e foram raivosas e numerosas as maldições que ele rogou sobre o leprechaum toda vez que se lembrava de como ele havia lhe dado essa bela rasteira.

---

[5] Quarenta acres irlandeses equivalem a quase 107 mil metros quadrados. (N.T.)

As mulheres com chifres

Uma mulher rica sentou-se tarde da noite cardando e preparando a lã, enquanto toda a sua família e os servos dormiam. De repente, alguém bateu à porta e ouviu-se uma voz gritar:

– Abra! Abra!

– Quem está aí? – perguntou a dona da casa.

– Eu sou a Bruxa de um Chifre – foi a resposta.

A patroa, ao imaginar que era um de seus vizinhos que viera pedir ajuda, abriu a porta e uma mulher entrou, trazendo na mão um par de cardadores de lã e um chifre na testa, como se ali ele tivesse crescido. Ela se sentou perto do fogareiro em silêncio e começou a cardar a lã com violenta pressa. De repente, ela fez uma pausa e disse em voz alta:

– Onde estão as mulheres? Quanta demora!

Em seguida, uma segunda batida soou na porta, e, do mesmo modo como acontecera antes, uma voz bradou:

– Abra! Abra!

A patroa sentiu-se obrigada a levantar-se e atender ao chamado, e imediatamente entrou uma segunda bruxa com dois chifres na testa, trazendo consigo uma roca para fiar lã.

– Dê-me um lugar – pediu ela. – Eu sou a Bruxa dos Dois Chifres. – E ela começou a girar sua roca tão rápido quanto um raio.

Assim, as batidas continuaram, cada uma com seu chamado. Uma a uma as bruxas entraram, até que finalmente doze mulheres estavam sentadas em volta do fogo; a primeira com um chifre, a última com doze chifres.

Elas cardaram os fios, giraram suas rocas de fiar, enrolaram e teceram, todas cantando em uníssono uma canção antiga, mas nem uma palavra dirigiram à dona da casa. Estranhas de ouvir e assustadoras de olhar eram aquelas doze mulheres, com seus chifres e suas rocas. A patroa sentiu-se à beira da morte e tentou levantar-se para pedir ajuda, mas não conseguia se mexer, nem proferir sequer uma palavra ou grito, pois o feitiço das bruxas havia recaído sobre ela.

Então, uma delas a chamou em irlandês e disse:

– Levante-se, mulher, e faça um bolo para nós.

Imediatamente, a mulher procurou um balde para tirar água do poço, a fim de preparar a refeição e assar o bolo, mas não encontrou nenhum.

Então as bruxas lhe disseram:

– Pegue uma peneira e coloque água nela.

A mulher pegou a peneira e foi até o poço, mas os furos da peneira não permitiam guardar a água, de modo que não seria possível fazer o bolo. Com isso, a mulher sentou-se na borda do poço e chorou.

Uma voz se aproximou dela e disse:

– Pegue argila amarela e musgo, misture-os e forre a peneira, e então ela vai segurar a água.

A mulher fez isso, e a peneira segurou a água para o bolo. A voz falou novamente:

– Volte e, quando alcançar a face norte da casa, grite três vezes: "A montanha das mulheres fenianas e o céu acima dela estão pegando fogo!"

Foi exatamente isso que a dona da casa fez.

Quando as bruxas lá dentro ouviram o chamado, um grande e terrível grito saiu de seus lábios, e elas avançaram com bramidos e lamúrias selvagens; fugiram para Slievenamon, onde ficava sua morada principal. O Espírito do Poço então ordenou à dona da casa que entrasse e a protegesse contra os feitiços das bruxas para o caso de elas voltarem.

Para frustrar seus feitiços, primeiro ela aspergiu a água com que havia lavado os pés de seu filho, a água do lava-pés, do lado de fora da soleira da porta; em segundo lugar, ela pegou o bolo que, na sua ausência, as bruxas tinham feito de farinha misturada com o sangue tirado da família adormecida, a mulher partiu o bolo em pedacinhos e colocou um pouco na boca de cada familiar adormecido, e eles se recuperaram; ela também pegou o pano que as bruxas tinham tecido e colocou-o metade dentro e metade fora do baú com o cadeado; por último, fechou a porta com uma grande viga mestra presa nos batentes, para que as bruxas não pudessem entrar. Tendo feito isso, esperou.

Não demorou muito para as bruxas voltarem, e elas se enfureceram e clamaram por vingança.

– Abra! Abra! – elas gritaram. – Abra, água do lava-pés!

– Não posso – disse a água do lava-pés. – Estou espalhada no chão e meu caminho é na direção do lago.

– Abra, abra, madeira das árvores e viga! – elas gritaram para a porta.

– Não posso – disse a porta –, porque a viga está presa nos batentes e não tenho forças para me mover.

– Abra, abra, bolo que fizemos misturado com sangue! – elas gritaram novamente.

– Não posso – disse o bolo –, porque estou quebrado em pedaços e machucado, e meu sangue está nos lábios das crianças adormecidas.

Então as bruxas correram pelo ar com grandes rugidos e voaram de volta para Slievenamon, proferindo maldições estranhas sobre o Espírito do Poço, que determinara a sua ruína. A mulher e a casa, no entanto, ficaram em paz, e um manto que uma das bruxas deixou cair durante sua fuga foi pendurado na parede pela patroa em memória daquela noite. Esse manto vem sendo mantido de geração em geração pela mesma família por quinhentos anos.

Conall Garra-Amarela

Conall Garra-Amarela era um morador de Erin, um homem robusto, que tinha três filhos. Naquela época, havia um rei para cada quinta parte de Erin. Um dia, os filhos do rei que vivia mais perto de Conall e os próprios filhos de Conall envolveram-se em uma briga. Os filhos de Conall levaram a melhor e mataram o filho mais velho do rei. O rei enviou uma mensagem para que Conall fosse vê-lo.

– Oh, Conall! O que fez seus filhos atacar os meus até que meu filho mais velho fosse morto? Sei que o ameaçar com vingança não me fará melhor, então vou propor algo a você e, se você fizer o que digo, não me vingarei. Se você e seus filhos conseguirem para mim o cavalo marrom do rei de Lochlann, preservarei a vida de seus filhos.

– Bem – disse Conall –, se eu atender o desejo do rei, então meus filhos não precisarão temer por suas vidas. O que exige de mim é árduo, mas sei que perderei minha vida e a de meus filhos se não fizer a vontade do rei.

Depois de dizer essas palavras, Conall deixou o rei e foi para casa. Chegou em casa bastante preocupado e atordoado; quando foi se deitar, contou à esposa o que o rei lhe havia proposto. A esposa ficou muito triste por ele ser obrigado a se ausentar, ela não sabia se voltaria a vê-lo.

— Oh, Conall — disse ela —, por que não permitiu que o rei fizesse o que bem entendesse com seus filhos, em vez de partir agora, quando não sei se algum dia o verei de novo?

Quando ele se levantou, no dia seguinte, aprontou-se com os filhos e eles se puseram em sua jornada em direção a Lochlann. Não fizeram nenhuma parada, atravessaram o oceano até alcançar o reino. Quando chegaram a Lochlann, não sabiam o que fazer. O velho homem disse a seus filhos:

— Vamos procurar a casa do moleiro do rei.

Quando chegaram à casa do moleiro do rei, o homem pediu-lhes que passassem a noite ali. Conall disse ao moleiro que seus próprios filhos e os filhos do rei haviam brigado, que seus filhos haviam matado o filho do rei e que ele só conseguiria apaziguar a fúria do rei se entregasse o cavalo marrom do rei de Lochlann.

— Se você me fizer a gentileza de indicar o caminho para encontrá-lo, com certeza lhe pagarei por isso.

— Foi uma bobagem vir atrás dele — disse o moleiro —, pois o amor do rei por esse cavalo é tão grande que você não o conseguirá de forma alguma, a menos que o roube. Contudo, se você conseguir encontrar um modo de fazer isso, guardarei segredo.

— É nisso que estou pensando — disse Conall —, já que você trabalha todos os dias para o rei, você e seus ajudantes poderiam colocar a mim e a meus filhos dentro de cinco sacos de grãos.

— Esse plano não é mau — disse o moleiro.

O moleiro deu as ordens aos seus ajudantes, e eles os colocaram em cinco sacos. Os criados do rei vieram buscar aos grãos e levaram consigo os cinco sacos onde os homens estavam escondidos, pouco depois esvaziaram alguns sacos diante dos cavalos, trancaram a porta do estábulo e foram embora.

Quando os filhos saíram dos sacos, ergueram-se e foram em busca do cavalo marrom, Conall avisou:

— Vocês não devem fazer isso. É difícil sair daqui, então vamos cavar cinco buracos para nos esconder. Se eles nos ouvirem, teremos esconderijo.

Eles cavaram os buracos, então colocaram as mãos no cavalo. O cavalo não havia sido domesticado e começou a fazer um barulho terrível pelo estábulo. O rei ouviu o barulho.

– Deve ser meu cavalo marrom – disse a seus servos. – Descubram o que há de errado com ele.

Os servos saíram e, quando Conall e seus filhos os viram chegar, foram para os esconderijos. Os servos olharam entre os cavalos e não encontraram nada de errado, então voltaram e contaram isso ao rei. O rei falou que, se não havia nada de errado, podiam ir descansar. Muito tempo depois que os criados haviam partido, Conall e seus filhos tentaram capturar novamente o cavalo. Se o barulho que o cavalo fizera antes foi grande, o que ele fazia agora era sete vezes maior. O rei mandou uma mensagem para seus criados novamente e disse que com certeza havia algo perturbando o cavalo marrom.

– Vão até lá, olhem com muito cuidado e descubram o que há com ele.

Os servos partiram, e Conall e os filhos voltaram para seus esconderijos. Os servos vasculharam bem o lugar e não encontraram nada. Voltaram e contaram isso ao rei.

– Ótimo! – exclamou o rei. – Então podem ir se deitar de novo e, caso eu o escute relinchar mais uma vez, eu mesmo vou verificar.

Quando Conall e seus filhos perceberam que os criados haviam sumido, tentaram novamente pegar o cavalo. Um deles o agarrou, e, se o barulho que o cavalo fizera nas duas vezes anteriores era grande, foi maior ainda desta vez.

– Agora é minha vez de verificar – disse o rei. – Deve ter alguém perturbando meu cavalo marrom. – Ele tocou o sino apressadamente e, quando seu criado veio, mandou que avisasse os cavalariços de que havia algo errado com o cavalo. Os cavalariços vieram, e o rei foi com eles. Quando Conall e seus filhos perceberam o grupo chegando, foram para os esconderijos.

O rei era um homem atento e cauteloso e logo viu que os cavalos estavam inquietos.

– Cuidado, há homens no estábulo – disse o rei. – Vamos arrumar um modo de pegá-los.

O rei seguiu os rastros dos homens e os encontrou. Todos conheciam Conall, pois ele era um valioso súdito do rei de Erin, e, quando o rei os tirou dos esconderijos, ele se admirou e perguntou:

– Oh, Conall, é você quem está aqui?

– Sou eu, majestade, sem dúvida, e foi a necessidade que me obrigou a vir. Sou um súdito de sua graça, de sua honra e de sua misericórdia. – Conall contou o que aconteceu com ele e que ele tinha de conseguir o cavalo marrom para o rei de Erin, ou seus filhos seriam mortos. – Eu sabia que não adiantaria pedir, então eu queria roubá-lo.

– Sim, Conall, está bem, mas entre – disse o rei, satisfeito com a rápida confissão de Conall.

O rei desejava que seus guardas vigiassem os filhos de Conall e lhes dessem comida, e solicitou que redobrassem a vigilância sobre eles.

– Agora, Conall, você já esteve em situação mais difícil do que a de ver seus filhos serem enforcados amanhã? – perguntou o rei. – Você apela para minha graça e minha bondade e diz que foi a necessidade que o trouxe aqui, então não vou enforcá-lo. Conte-me sobre uma situação que você tenha passado que foi mais dura que esta e pouparei a vida de seu filho mais novo.

– Vou contar um caso tão difícil quanto este – disse Conall. – Eu era jovem, e meu pai tinha muitas terras, com rebanhos de novilhas. Uma das vacas tinha acabado de parir, e meu pai me disse para trazê-la para casa. Encontrei a vaca e a trouxe comigo. Caía uma nevasca, então entramos na cabana do rebanho e trouxemos a vaca e o bezerro para dentro conosco até que a nevasca passasse. E quem apareceu lá naquele momento senão onze gatos e mais o bardo-mestre deles, um grande gato cor de raposa, com um olho só? Quando entraram, eu mesmo não gostei muito de me ver na companhia deles. "Comecem o espetáculo", disse o bardo-mestre. "Por que deveríamos ficar parados? Vamos ronronar uma canção em homenagem a Conall Garra-Amarela!" Fiquei surpreso que os gatos soubessem meu nome. Depois de terem cantado, o bardo-mestre falou: "Ó Conall, agora pague uma recompensa pela canção que os gatos ronronaram para você." "Bem", eu falei, "não tenho recompensa alguma para dar a vocês, a menos que queiram ficar com aquele bezerro." Mal disse isso e os doze gatos desceram para atacar o bezerro. Para falar a verdade, o bezerro não durou muito. "Vamos ao espetáculo, por que estão em silêncio? Vamos ronronar mais uma música para Conall Garra-Amarela!", pediu o bardo--mestre. Com certeza não gostei nem um pouco dessa música, mas os onze gatos resolveram ronroná-la para mim ali mesmo! "Pague-lhes agora a recompensa", disse o gatão cor de raposa. "Estou cansado de vocês e de suas recompensas", eu falei. "Não tenho nenhuma recompensa para dar a vocês, a menos que levem aquela vaca ali." Então eles foram até a vaca e, de fato, ela não durou muito.

"'Por que estão em silêncio? Subam e ronronem mais uma canção para Conall Garra-Amarela', disse o bardo-mestre mais uma vez. E certamente, ó majestade, eu não me importava com eles nem com sua canção, pois comecei a ver que aqueles gatos não eram bons camaradas. Depois de terem ronronado a canção para mim, foram até onde estava o bardo--mestre. 'Pague agora a recompensa deles', disse o bardo-mestre. Eu não tinha uma recompensa para eles, portanto lhes disse: 'Não tenho nenhuma recompensa'. Então, majestade, eles começaram uma miadeira. Pulei uma janela que ficava nos fundos da cabana e corri o mais rápido que pude para a floresta. Eu era muito forte e veloz naquela época; e, quando senti o farfalhar dos gatos atrás de mim, subi em uma das árvores mais altas que vi naquele lugar e me escondi como pude. Os gatos começaram a me procurar na floresta e não conseguiram me encontrar, até que ficaram cansados e começaram a comentar uns com os outros que voltariam. 'Se com dois olhos vocês não o encontraram', falou o gato cor de raposa de um olho só que era o comandante deles, 'eu, que tenho apenas um olho, vejo o patife lá em cima da árvore!' Assim que ele disse isso, um dos gatos subiu na árvore, e, como ele vinha na minha direção, saquei a arma que trouxera comigo e o matei. 'Não vou perder meu séquito deste jeito!', disse o gato de um olho só. 'Cavem ao redor das raízes da árvore, façam esse perverso vir ao chão!' Assim eles se reuniram em volta da árvore e cavaram até as raízes, e a primeira raiz que cortaram fez o tronco estremecer. Não era de espantar que eu gritei.

"Havia nas proximidades desse bosque um padre e dez homens que estavam cavando com ele, que disse: 'Ouço o grito de um homem em apuros e não posso deixar de atender'. E o mais sábio dos homens disse: 'Espere até que possamos ouvir novamente'. Os gatos tornaram a cavar freneticamente e cortaram mais uma raiz; eu dei outro grito, e este não foi fraco. 'Com certeza é um homem em apuros', disse o padre, 'vamos socorrê-lo'. Eles vieram correndo. Os gatos continuaram investindo contra a árvore e cortaram a terceira raiz; a árvore cedeu e ficou apoiada apenas em um ramo. Então dei o terceiro grito. Os homens valentes se apressaram e, quando viram como os gatos cortavam a árvore, começaram a atacá-los com as espadas; os homens e os gatos se puseram a lutar, até que os gatos fugiram. Eu nem me mexi até que o último deles tivesse ido embora, majestade. Depois fui para casa. Essa é a situação mais difícil em que já estive; e me parece que ser retalhado pelos gatos é mais duro do que ser enforcado amanhã pelo rei de Lochlann."

– Oh Conall, você fala muito bem – disse o rei. – Poupou a vida de seu filho com essa história; e, se você me contar um caso ainda mais difícil do que esse, salvará seu segundo filho, e então ainda terá dois filhos.

– Muito bem – disse Conall. – Contanto que você faça isso, contarei como uma vez estive em uma situação mais difícil do que estar preso aqui nesta noite.

– Vamos ouvir – disse o rei.

– Eu era um rapaz bem jovem e tinha saído um dia para caçar – disse Conall. – As terras de meu pai ficavam à beira-mar e eram acidentadas, repletas de rochedos, cavernas e gretas. Quando estava chegando ao alto da encosta, vi como se houvesse uma fumaça subindo entre duas rochas e tentei entender o que poderia ser aquela fumaça saindo dali. Enquanto estava olhando, o que aconteceu? Eu caí! E o lugar estava tão forrado de urzes que não quebrei um osso nem ganhei um arranhão. Mas não sabia como sair dali. Eu não olhava para a frente, apenas para cima, de onde havia caído, e me perguntava quanto poderia demorar até que eu conseguisse sair dali. Era terrível saber que eu podia ficar naquele lugar até morrer. Ouvi um grande estrondo vindo na minha direção, e o que mais era senão um gigante com suas duas dúzias de cabras e um bode? Quando o gigante amarrou as cabras, veio até mim e disse: "Hao O! Conall, faz muito tempo que minha faca enferruja na minha bolsa, esperando sua carne tenra". "Oh!", eu disse, "você vai ter que me despedaçar, mas não vai ganhar muito comigo. Para você, não vou render mais do que uma refeição. Porém vejo que você enxerga com um olho só. Sou um bom médico e lhe darei a visão do outro olho". Então o gigante se interessou pela ideia e puxou um grande caldeirão para perto do fogo. Eu mesmo lhe dizia como ele deveria aquecer a água para que eu pudesse lhe dar a visão do outro olho. Peguei algumas urzes, preparei um esfregão com elas e coloquei o gigante de pé dentro do caldeirão. Comecei pelo olho que estava bom, fingindo que emprestaria a visão dele para o olho cego, até que os deixasse na mesma condição; mas com certeza era mais provável estragar o olho que estava bom do que dar a visão ao outro.

"Quando ele percebeu que não podia enxergar nada, e quando eu mesmo disse a ele que ia embora, ele deu um salto para fora da água e se postou na boca da caverna, ameaçando que se vingaria pela visão perdida. Tudo o que precisei fazer foi ficar agachado durante a noite toda, prendendo a respiração de tal forma que ele não pudesse descobrir onde eu estava. Quando ele ouviu os pássaros cantar pela manhã e soube que era dia, ele me perguntou: 'Está dormindo? Acorde e solte minhas cabras'. Eu matei o bode. Ele falou: 'Acho que você está matando meu bode'.

"'Não estou, não', eu disse. 'As cordas estão tão apertadas que está demorando para que eu consiga soltá-las.' Soltei uma das cabras e ele se pôs a acariciá-la e dizer: 'Aí está você, cabrita branca peluda; você me vê, mas eu não a vejo'. Continuei a soltá-las, uma por uma, enquanto estripava o bode e, antes que a última cabra saísse, eu havia terminado de soltar a pele do bode que usei como se fosse uma capa. Eu coloquei minhas pernas no lugar das patas traseiras, minhas mãos no lugar das patas dianteiras, minha cabeça no lugar do crânio e os chifres no alto da minha cabeça, para que o bruto pensasse que eu era o seu bode. Então, saí. Quando eu estava saindo, o gigante colocou sua mão sobre mim e disse: 'Aí está você, meu belo bode; você me vê, mas eu não o vejo'. Quando finalmente saí e vi o mundo lá fora, oh, majestade! Eu era só alegria! Quando saí e retirei a pele de bode, gritei para o gigante: 'Agora estou aqui fora, apesar de você!'

"'A-ha', ele disse, 'você me tapeou. Já que foi corajoso o bastante para sair da caverna, darei a você um anel que tenho aqui; fique com o anel, e ele lhe fará bem'. 'Não vou pegar o anel com você', respondi, 'mas jogue-o e eu o levarei comigo.' Ele jogou o anel no chão, eu mesmo fui pegá-lo e o coloquei no dedo. Quando ele me perguntou, então, 'O anel serve em você?', eu respondi 'Serve, sim'. Então ele falou: 'Onde está você, anel?' E o anel respondeu: 'Estou aqui!' O bruto correu na direção do anel, e então eu vi que estava em uma situação mais difícil do que nunca. Desembainhei um punhal, cortei o dedo onde estava o anel e o atirei o mais longe que pude no lago, que era bastante fundo. Ele gritou: 'Onde está você, anel?' E o anel respondia: 'Estou aqui', embora estivesse no fundo das águas. O gigante saltou atrás do anel. E eu fiquei muito contente quando o vi se afogar. Portanto, majestade, você deve poupar a minha própria vida e a dos meus dois filhos, para eu poder descansar.

"Quando o gigante se afogou, eu entrei na caverna dele e peguei tudo o que ele tinha de ouro e prata; fui para casa, levando comigo aquela pequena fortuna, e foi uma grande alegria para minha família quando cheguei. E, como um sinal de que a história é verdadeira, veja, não tenho mais o dedo."

– Sim, de fato, Conall, você fala muito e sabiamente – disse o rei. – Vejo que não tem mais o dedo. Você libertou dois de seus filhos, mas me conte uma situação que você já enfrentou que seja ainda mais dura do que ver seu filho ser enforcado amanhã, e você também salvará a vida do filho mais velho.

– Então meu pai me arranjou uma esposa e eu me casei – contou Conall. – Um dia saí para caçar e estava caminhando pela beira-mar quando vi uma ilha em meio ao lago. Segui caminhando até que encontrei um barco que tinha uma corda amarrada na proa e uma corda no convés, e viam-se muitas coisas preciosas dentro dele. Observei bem o barco para ver como poderia levar parte daquelas coisas. Pus um pé dentro do barco enquanto o outro permanecia no chão. Quando me dei conta, o que havia acontecido? O barco estava no meio do lago e não parou de navegar até chegar à ilha.

Quando saí do barco, ele voltou para o mesmo lugar onde estivera antes. E agora eu não sabia o que deveria fazer. Naquele lugar não havia comida nem roupas, não havia nada que lembrasse uma casa. Eu subi no topo de uma colina e depois cheguei a um vale estreito e profundo, onde enxerguei, no fundo de um buraco, uma mulher que carregava um bebê nu no colo e uma faca na mão. Ela tentou cortar a garganta do bebê com a faca, mas o bebê começou a rir, enquanto a mulher começou a chorar e jogou a faca para trás. Pensei comigo mesmo que estava perto de um inimigo e longe de meus amigos, e gritei para a mulher: "O que você está fazendo aqui?" E ela me respondeu: "O que trouxe você aqui?" Contei a ela, com todos os detalhes, como havia chegado lá. "Pois bem", disse ela, "foi assim que eu vim também". Ela me explicou como chegar até o local onde ela estava. Eu me aproximei e perguntei a ela: "Por que você colocou a faca no pescoço da criança?" "É que o gigante que vive aqui quer comer esse bebê cozido, e, se eu não o fizer, não verei mais a luz do dia." Apenas então conseguimos ouvir os passos do gigante. "O que devo fazer? O que devo fazer?", a mulher gritou. Fui até o caldeirão e, por sorte, não estava quente, então entrei nele assim que o gigante apareceu. "Você cozinhou aquele bebê para mim?", o gigante bradou. "Ainda não está pronto", a mulher respondeu, e eu gritei de dentro do caldeirão: "Mamãe, mamãe, estou fervendo!" Então o gigante riu "HAI, HAW, HOGARAICH" e amontoou um pouco mais de lenha debaixo do caldeirão.

"Agora eu tinha certeza de que terminaria cozido antes que conseguisse sair dali. Para minha sorte, o gigante dormiu ao lado do caldeirão. Enquanto isso, eu me sentia escaldar pelo fundo do caldeirão. Quando a mulher percebeu que o gigante estava dormindo, ela colocou a boca calmamente no orifício que havia na tampa e perguntou: 'está vivo?' Respondi que sim. Levantei o rosto, e o orifício na tampa era tão grande que minha cabeça passou facilmente. Estava saindo do caldeirão com facilidade até que comecei a levantar o traseiro. Tive que deixar a pele do meu traseiro para trás, mas saí. Assim que me vi fora do caldeirão, não soube o que fazer; e a mulher me disse que não havia arma que pudesse matar o gigante, a não ser a própria arma dele. Comecei a puxar a lança do bruto, mas, a cada vez que ele respirava, eu temia que fosse me engolir e, a cada vez que soltava o ar, eu era afastado para a mesma distância de antes. Mas, apesar da dificuldade, consegui soltar a lança do domínio dele. Então fiquei como se estivesse carregando um fardo de palha contra a força de uma ventania, pois não conseguia manejar a lança. E foi terrível olhar para o gigante, que tinha apenas um olho no meio do rosto; tampouco foi agradável atacá-lo. Brandi a lança o melhor que pude e acertei o olho dele. Quando sentiu a estocada, ele ergueu a cabeça, e então a ponta da lança atravessou a nuca dele e ficou encravada no topo da caverna. Ele ficou morto ali mesmo onde estava; e você pode ter certeza, majestade, que eu era só alegria. Eu e a mulher saímos para o ar livre e passamos a noite ali. Na manhã seguinte, não sei se pelo movimento da água ou dos ventos, o barco que continuava repleto de riquezas estava ali na ilha. Eu trouxe a mulher e a criança comigo para terra firme; depois voltei para casa."

A mãe do rei de Lochlann estava acendendo uma lareira nesse momento, enquanto ouvia Conall contar a história sobre o bebê.

– Então era você que estava lá? – perguntou ela.

– Bem – Conall falou –, era eu mesmo.

– Oh! Oh! – exclamou ela, emocionada. – Eu estava lá, e a criança cuja vida você salvou é hoje o nosso rei. A vida dele foi salva graças a você!

Então eles se alegraram. O rei disse:

– Oh, Conall, você passou por grandes dificuldades. E agora o cavalo marrom é seu, assim como a bolsa com as coisas mais preciosas que existem no meu tesouro.

Eles foram se deitar naquela noite, e Conall levantou cedo; antes disso, no entanto, a rainha já estava de pé com os preparativos. Conall pegou o cavalo marrom e sua bolsa cheia de ouro, prata e pedras preciosas, e então ele e seus três filhos partiram, de volta à sua casa em Erin, o reino da alegria. Ele deixou o ouro e a prata em sua casa e levou o cavalo até o rei, de quem se tornou um bom amigo para sempre. Depois, Conall voltou para casa, para sua esposa, e eles organizaram um banquete, e dificilmente existiu outro banquete mais memorável, meus filhos e meus irmãos!

Hudden, Dudden e Donald O'Neary

Era uma vez dois fazendeiros, e seus nomes eram Hudden e Dudden. Eles tinham aves em seus quintais, ovelhas nas terras altas e dezenas de cabeças de gado nas pastagens ao longo do rio. Mas, apesar de tudo, não estavam felizes, pois entre suas duas fazendas vivia um homem pobre chamado Donald O'Neary. Ele morava em um casebre e tinha uma faixa de pasto que mal dava para evitar que sua vaca, Daisy, morresse de fome; e, embora ela se esforçasse, Donald raramente conseguia um pouco de leite ou de manteiga de Daisy. Você deve imaginar que não havia muito para deixar Hudden e Dudden com inveja, no entanto é assim mesmo: quanto mais se tem, mais se cobiça; e os vizinhos de Donald passavam noites sem dormir planejando como anexar aquela pequena faixa de pasto. Em Daisy, pobrezinha, eles nunca pensaram; ela era apenas um saco de ossos.

Um dia Hudden encontrou Dudden e logo os dois se puseram a rezingar como de costume:

– Se ao menos pudéssemos tirar aquele patife do Donald O'Neary do país...

– Vamos matar Daisy – disse Hudden, por fim. – Se isso não o fizer ir embora, nada o fará.

Tão logo um disse isso, o outro concordou. Ainda não havia escurecido quando Hudden e Dudden se esgueiraram até o pequeno galpão onde estava a pobre Daisy, que estava ocupada em ruminar, embora a quantidade de grama que ela havia comido naquele dia não encheria nem uma mão. E, quando Donald veio ver se Daisy estava bem acomodada para passar a noite, a pobre vaca só teve tempo de lamber sua mão antes de morrer.

Donald era um sujeito astuto e, por mais desanimado e triste que estivesse, começou a pensar se poderia tirar algum proveito da morte de Daisy. Ele pensou e pensou e, no dia seguinte, foi visto caminhando cedo para a feira, carregando o couro de Daisy no ombro e cada centavo que possuía tilintando em seus bolsos. Pouco antes de chegar à feira, ele fez vários cortes no couro, colocou uma moeda em cada corte, entrou na melhor pousada da cidade com a confiança de quem era o dono daquele lugar e, pendurando o couro em um prego na parede, sentou-se.

– Uma dose do seu melhor uísque – pediu ao proprietário.

No entanto, o proprietário não gostou de Donald e hesitou em servi-lo.

– Está com medo de eu não pagar, não é? – perguntou Donald. – Saiba que tenho um couro aqui que me dá todo o dinheiro que quero. – E com isso ele acertou um golpe com sua bengala e do couro saltou um centavo.

O proprietário escancarou os olhos, como você pode imaginar.

– Quanto você quer por esse couro?

– Não está à venda, meu bom homem.

– Aceita uma moeda de ouro?

– Não está à venda, estou dizendo. Esse couro sustentou a mim e minha família por anos! – E com isso Donald deu outro golpe no couro e dele saltou mais um centavo.

No fim das contas, Donald acabou por vender o couro por um bom valor e, naquela mesma noite, ele se dirigiu à porta de Hudden.

– Boa noite, Hudden. Você pode me emprestar sua melhor balança?

Hudden olhou e coçou a cabeça pensativo, mas emprestou.

Quando Donald estava seguro em casa, ele esvaziou os bolsos cheios de ouro reluzente e começou a pesar cada moeda na balança. Mas Hudden tinha deixado um pedaço de manteiga no fundo do prato da balança, de modo que uma última moeda ficou grudada ali e foi devolvida junto.

Se Hudden tinha olho gordo, estava ainda maior agora. Assim que Donald lhe deu as costas, Hudden correu o mais rápido que pôde até a casa de Dudden.

– Boa noite, Dudden. Aquele imprestável, que o azar seja todo dele...

– Você quer dizer Donald O'Neary?

– E quem mais seria? Ele está pesando sacos cheios de ouro.

– Como você sabe disso?

– Aqui está a balança que ele me pediu emprestada, e aqui está uma moeda de ouro ainda colada no prato.

Eles foram juntos à porta de Donald, que, naquele momento, havia terminado de fazer a última pilha de dez moedas de ouro. Não conseguiu completar a última porque uma moeda tinha grudado na balança.

Hudden e Dudden entraram sem "por favor" nem "com licença".

– Bem, eu nunca...! – Isso foi tudo que eles conseguiram dizer.

– Boa noite, Hudden; boa noite, Dudden. Ah! Vocês pensaram que tinham me pregado uma peça, mas nunca imaginaram que me fariam tão bem! Quando encontrei a pobre Daisy morta, pensei comigo mesmo: "Bem, o couro dela pode render alguma coisa"; e assim foi. O couro vale seu peso em ouro no mercado agora.

Hudden cutucou Dudden, e Dudden piscou para Hudden.

– Boa noite, Donald O'Neary.

– Boa noite, bons amigos.

No dia seguinte, não havia vaca ou bezerro que pertencesse a Hudden e Dudden cujo couro não estivesse indo para a feira na carroça grande de Hudden puxada pelo par mais forte de cavalos de Dudden. Quando chegaram à feira, cada um pegou um couro de animal nos braços e andou pela feira, berrando a plenos pulmões:

– Couros para vender! Couros para vender!

O curtidor veio até eles:

– Quanto querem pelo couro, meus bons homens?

– Seu peso em ouro.

– É cedo demais para vocês terem vindo bêbados da taverna. – Foi tudo o que o curtidor disse antes de voltar para seu quintal.

– Couros para vender! Couro bonito e fresco para vender!

O sapateiro veio até eles:

– Quanto querem pelo couro, meus bons homens?

– Seu peso em ouro.

– Vocês estão brincando comigo! Tome isto para compensar o trabalho. – E o sapateiro desferiu um golpe em Hudden que o fez cambalear.

As pessoas vieram correndo da outra ponta da feira.

– O que está acontecendo? O que houve? – gritavam eles.

– Aqui estão alguns patifes vendendo couro por seu peso em ouro – disse o sapateiro.

– Agarrem-nos, segurem-nos bem! – berrou o estalajadeiro, que foi o último a chegar, de tão gordo. – Aposto que um deles é o trapaceiro que me enganou ontem e que ganhou trinta moedas de ouro por um miserável corte de couro.

Antes que conseguissem voltar para casa, Hudden e Dudden comeram o pão que o diabo amassou e precisaram correr muito rápido em fuga porque todos os cães da cidade estavam no seu encalço.

Bem, como você pode imaginar, se eles já não gostavam de Donald antes, agora menos ainda.

– Qual é o problema, amigos? – perguntou Donald ao vê-los passar com os chapéus e os casacos rasgados e os rostos cobertos de hematomas. – Estiveram brigando? Ou talvez encontraram com a polícia, para o azar dela?

– Nós vamos vigiar você, seu patife! – exclamou um.

– Você se achou muito espero, iludindo-nos com suas histórias mentirosas – disse o outro.

– Quem iludiu vocês? Não viram o ouro com seus próprios olhos?

Mas não adiantava falar. Donald O'Neary devia e ia pagar por isso. Hudden e Dudden o enfiaram em um saco de mantimentos, depois o amarraram com força, passaram uma vara pelo nó e partiram para o Lago Brown do Pântano, cada um com uma ponta da vara no ombro, e Donald O'Neary pendurado no meio.

Mas o Lago Brown era longe, e a estrada era empoeirada. Hudden e Dudden estavam doloridos, cansados e secos de tanta sede. Havia uma estalagem à beira da estrada.

– Vamos entrar – disse Hudden. – Estou imprestável. Donald é bem pesado pelo pouco que tinha para comer.

Se Hudden estava disposto a entrar, Dudden também estava. Quanto a Donald, você pode ter certeza de que eles nem se importaram em perguntar, e ele foi deixado na porta da pousada perante o mundo inteiro como se fosse um saco de batatas.

– Fique quieto, seu patife – disse Dudden a Donald. – Se não nos incomodamos em esperar, você também não precisa ter pressa de chegar ao lago.

Donald ficou quieto, e depois de um tempo ouviu os copos tilintar e Hudden cantar com toda a força.

– Não a quero, eu insisto, não a quero! – falou alto Donald. Mas ninguém deu ouvidos ao que ele disse. – Não a quero, eu insisto, não a quero! – repetiu Donald, e desta vez ele falou mais alto; mas ainda ninguém deu ouvidos ao que disse. – Não a quero, eu insisto, não a quero! – desta vez Donald gritou o mais alto que pôde.

– E quem você não quer, posso saber? – perguntou um fazendeiro, que havia acabado de chegar conduzindo um rebanho de vacas e estava pedindo um copo de bebida.

– A filha do rei. Eles estão me azucrinando para que eu me case com ela.

– Você é um sujeito de sorte. Eu daria tudo para estar no seu lugar.

– Você entende agora? Eu sei que seria ótimo para um fazendeiro se casar com uma princesa, toda vestida de ouro e joias...

– Você disse joias? Ah, não poderia me levar com você?

– Bem, você parece um sujeito honesto, e, como eu não quero me casar com a filha do rei, embora ela seja tão bonita quanto o dia e esteja coberta de joias da cabeça aos pés, você a terá. Apenas desfaça o cordão e me deixe sair; eles me amarraram com força, porque sabiam que eu fugiria dela.

Donald rastejou para fora do saco, e o fazendeiro entrou nele.

– Agora fique quieto e não se preocupe com o tremor; você estará apenas passando pelos degraus do palácio. Talvez eles tratem você como um tolo por não querer a filha do rei, mas você não precisa se preocupar com isso. Ah! Esse é um acordo do qual estou desistindo em seu benefício, pois com certeza eu não quero me casar com a princesa.

– Pegue meu gado em troca – disse o fazendeiro.

E você pode imaginar que não demorou muito para que Donald levasse o rebanho consigo para casa.

Hudden e Dudden saíram, e um pegou uma ponta da vara enquanto o outro pegou a oposta.

– Parece que ele ficou mais pesado – disse Hudden.

– Ah, não importa – disse Dudden. – Agora falta pouco para o Lago Brown.

– Eu a quero agora! Eu a quero agora! – berrou o fazendeiro de dentro do saco.

– Por tudo de mais sagrado, você vai ter o que quer – disse Hudden, e colocou sua bengala sobre o saco.

– Eu a quero agora! Eu a quero agora! – berrou o fazendeiro, mais alto do que nunca.

– Bem, aí está você – disse Dudden.

Agora eles haviam chegado ao Lago Brown e, abaixando o saco, jogaram-no no lago.

– Não vai mais pregar suas peças em nós! – exclamou Hudden.

– Isso mesmo – disse Dudden. – Ah, Donald, meu garoto, que dia malfadado aquele em que você pegou minha balança emprestada.

E lá foram eles, com passos leves e disposição tranquila; no entanto, quando estavam perto de casa, quem foi que viram senão Donald O'Neary em pessoa? Ao redor dele as vacas pastavam e os bezerros brincavam de saltitar e cabecear.

– É você mesmo, Donald? – perguntou Dudden. – Caramba! Você foi mais rápido do que nós.

– É verdade, Dudden, e deixe-me agradecer; foi um ótimo favor para tão más intenções. Assim como eu, você deve ter ouvido que o Lago Brown leva à Terra das Promessas. Sempre achei que esse lugar fosse mentira, mas é tão verdadeiro quanto minha palavra. Veja este gado.

Hudden ficou olhando, e Dudden se pôs boquiaberto; eles não conseguiam acreditar na qualidade daquele gado, tão belo e gordo.

– E estes nem eram os melhores que eu poderia ter trazido – disse Donald O'Neary. – Os outros eram tão gordos que não havia como guiá-los. Caramba, também não é de admirar que eles se importassem em partir de um pasto tão grande quanto a vista alcança e repleto de grama tão doce e suculenta quanto manteiga fresca.

– Ah, Donald, nem sempre fomos amigos – disse Dudden –, mas, como eu estava dizendo, você sempre foi um rapaz decente e vai nos mostrar o caminho, não é?

– Nem sei por que está me pedindo isso; há muito gado lá na Terra das Promessas. Por que eu ia querer ficar com ele todo para mim?

– Caramba, todos dizem que, quanto mais rico se fica, mais duro fica o coração. Mas você sempre foi um bom vizinho, Donald. Não ia querer ficar com toda essa sorte só para você, não é?

– É verdade, Hudden. Embora você tenha me dado um mau exemplo, não vou pensar nos velhos tempos. Lá tem o bastante para todo mundo, então venha comigo.

Eles partiram com a disposição tranquila e o passo impetuoso. Quando chegaram ao Lago Brown, o céu estava cheio de pequenas nuvens brancas e, assim como o céu, o lago também estava.

– Ah! Veja, lá estão eles – gritou Donald, apontando para as nuvens refletidas no lago.

– Onde? Onde? – gritou Hudden.

– Não seja ganancioso! – gritou Dudden, enquanto saltava para chegar primeiro ao gado gordo.

E, se ele saltou primeiro, Hudden não ficou muito atrás e rapidamente se jogou na água.

Eles nunca mais voltaram. Talvez tenham engordado demais, assim como o gado. Quanto a Donald O'Neary, ele teve todas as vacas e as ovelhas que queria.

O pastor de Myddvai

Nas Montanhas Negras, em Caermarthenshire, fica o lago conhecido como Lyn y Van Vach. Certa vez, um pastor de Myddvai conduziu seus cordeiros às margens desse lago e se demorou ali enquanto eles procuravam pasto. De repente, das águas escuras do lago, ele viu sair três donzelas. Sacudindo as gotas reluzentes de seus cabelos e deslizando para a terra, elas caminharam pelo meio do rebanho. A beleza delas era superior à dos mortais, e o pastor se encheu de amores pela donzela que dele se aproximava. Ofereceu a ela o pão que trouxera consigo, que ela pegou e experimentou, e depois cantou para ele:

– É duro este pão, não será fácil me agradar. – E então, rindo, ela se pôs a correr de volta ao lago.

No dia seguinte, o pastor levou consigo um pão que não ficara tanto tempo no forno e esperou pelas donzelas. Quando elas vieram à terra, ele ofereceu o pão como antes, e a donzela provou e cantou:

– O pão está cru, não quero você. – E novamente correu em torno do lago e desapareceu nas ondas.

Na terceira vez, o pastor de Myddvai tentou atrair a donzela e, desta vez, ofereceu-lhe o pão que encontrara flutuando perto da costa. Isso a agradou, e ela prometeu se tornar sua esposa se ele conseguisse reconhecê-la entre suas irmãs no dia seguinte. Quando chegou a hora, o pastor reconheceu sua amada pela tira da sandália. Então ela disse que seria uma esposa tão boa para ele quanto qualquer donzela terrestre poderia ser, a menos que ele batesse nela três vezes sem motivo. É claro que ele argumentou que isso jamais aconteceria; e ela, depois de conjurar do lago três vacas, dois bois e um touro como seu dote de casamento, foi conduzida para a casa do pastor como sua noiva.

Os anos se passaram felizes, e três filhos nasceram do pastor e da donzela do lago. Porém, um dia, estavam a caminho de uma festa de batizado, e ela disse ao marido que era uma distância grande para caminhar, então ele pediu a ela para buscar dois cavalos.

– Eu vou – respondeu ela – se você me trouxer as luvas que deixei em casa.

Quando ele voltou com as luvas, no entanto, descobriu que ela não tinha ido atrás dos cavalos; então ele bateu levemente no ombro dela com as luvas e ordenou:

– Ande, vá!

– Esta é a primeira – disse ela.

Outra vez, estavam em um casamento quando, de repente, em meio à alegria e ao júbilo de todos ao redor, a donzela do lago caiu soluçando e chorando.

O marido deu um tapinha em seu ombro e perguntou:

– Por que chora?

– Porque a eles estão destinados problemas; e um problema paira sobre você, pois este é o segundo golpe sem motivo que você me dá. Seja cuidadoso; o terceiro será o último.

O marido teve o cuidado de nunca mais bater nela, tinha até medo de tocá-la às vezes. Mas um dia, em um funeral, ela de repente explodiu em gargalhadas. O marido esqueceu-se e tocou-lhe o ombro com força, dizendo:

– Isto é hora de rir?

– Eu rio – respondeu ela – porque aqueles que morrem ficam livres das atribulações, mas agora o seu problema chegou. O último golpe foi desferido; nosso casamento terminou, adeus.

E com isso ela se levantou e saiu rumo à casa deles.

Então, olhando em volta da casa, ela chamou o rebanho que havia trazido consigo no dia do casamento:

– Vaca malhada, salpicada de branco, vaca sarapintada, de sardas marcadas, boi cinzento da velha cara branca, touro branco da costa do rei, boi cinza e bezerro preto, todos, todos, sigam-me para casa.

O bezerro preto tinha acabado de ser abatido e estava pendurado no gancho, mas saiu do gancho vivo e incólume e a seguiu; e os bois, embora estivessem arando, obedeceram à ordem arrastando o arado atrás de si. Então ela fugiu para o lago novamente, e os animais a seguiram e a acompanharam em seu mergulho nas águas escuras. Até hoje pode ser visto o sulco que o arado deixou quando foi arrastado pelas montanhas até o pequeno lago.

Só uma vez a donzela do lago voltou, quando seus filhos já eram adultos, e ela lhes deu dons de cura, pelos quais eles passaram a ser conhecidos como *meddygon* Myddvai, os médicos de Myddvai.

O alfaiate astucioso

Um alfaiate astucioso foi contratado pelo grande Macdonald, em seu castelo em Saddell, a fim de fazer para o senhor daquelas terras um par de calças xadrez, como eram usadas nos tempos antigos. Sendo as calças e o colete unidos em uma só peça e ornados com franjas, eram muito confortáveis e adequados para caminhar ou dançar. Macdonald propôs ao alfaiate que, se ele costurasse as calças à noite na igreja, receberia uma bela recompensa, pois pensava-se que a velha igreja em ruínas era mal-assombrada e que coisas terríveis podiam ser vistas ali à noite.

O alfaiate sabia disso, mas era um homem astucioso; quando o senhor das terras o desafiou a costurar as calças à noite na igreja, o alfaiate não se intimidou, aceitou o desafio para ganhar o prêmio. Então, quando a noite caiu, ele se dirigiu ao vale, a menos de um quilômetro de distância do castelo, e chegou à velha igreja. Em seguida, escolheu uma bela lápide para usar como assento, acendeu sua vela, colocou o dedal e começou a trabalhar nas calças, manipulando agilmente a agulha e pensando no pagamento que o senhor das terras teria que lhe dar.

Por algum tempo, ele trabalhou muito tranquilo, até que sentiu o chão tremer sob seus pés. Enquanto mantinha os dedos trabalhando, olhou em volta e viu a aparição de uma grande cabeça humana erguendo-se do chão de pedra da igreja. Quando a cabeça se ergueu acima do nível do piso, veio dela um vozeirão, que perguntava:

– Está vendo esta minha enorme cabeça?

– Vejo, sim, mas preciso costurar isto aqui! – respondeu com astúcia o alfaiate e continuou a pespontar as calças.

Então a cabeça subiu mais alto, até que apareceu seu pescoço. E, quando o pescoço surgiu, aquela mesma voz de trovão se ergueu para perguntar:

– Está vendo este imenso pescoço?

– Vejo, sim, mas preciso costurar isto aqui! – explicou o alfaiate astucioso e seguiu costurando agilmente as calças.

Então a cabeça e o pescoço se ergueram ainda mais, até que os grandes ombros e o peito ficaram visíveis acima do solo. E novamente a voz poderosa trovejou:

– Vê este meu peito gigantesco?

E novamente o astucioso alfaiate respondeu:

– Eu vejo, sim, mas vou costurar isto aqui! – e prosseguiu costurando as calças.

A aparição seguiu levantando-se acima do pavimento, até que sacudiu um grande par de braços na frente do alfaiate e perguntou:

– Vê estes meus braços descomunais?

– Eu vejo, sim, mas vou costurar isto! – respondeu o alfaiate; e ele costurou freneticamente as calças, pois sabia que não tinha tempo a perder.

O alfaiate astucioso estava dando pontos alongados, quando viu a criatura elevar-se gradualmente do chão, até levantar uma grande perna e pisar com força no solo, dizendo em um rugido:

– Vê esta minha perna colossal?

– Vejo, sim, mas preciso costurar isto aqui! – gritou o alfaiate; e seus dedos voaram com a agulha, dando pontos tão alongados que estava perto de completar a costura das calças no mesmo momento em que o gigante estava levantando sua outra perna. Mas, antes que o gigante pudesse livrar a perna do solo, o astucioso alfaiate havia terminado sua tarefa; ele apagou a vela, saltou da lápide, pegou todo o seu material e saiu correndo da igreja com as calças debaixo do braço. Então a figura assustadora deu um rugido alto, pisou com os dois pés no chão e saiu da igreja correndo na direção do alfaiate.

Eles correram vale abaixo, mais rápido do que o riacho quando a enchente o sobreleva; mas o alfaiate tinha a dianteira e um par de pernas ágeis e decidiu que não ia perder a recompensa de Macdonald. Embora a figura rugisse para que ele parasse, o alfaiate astucioso não era um homem que se deixaria deter por um monstro. Então ele segurou as calças com firmeza e não deixou nenhuma sombra crescer sob seus pés, até que alcançou o castelo Saddell. Ele havia acabado de entrar pelo portão e fechá-lo quando a aparição o alcançou. Enfurecida por ter perdido sua caça, ela golpeou a parede acima do portão e deixou ali a marca de seus cinco grandes dedos. Você pode vê-las ainda hoje, se olhar perto o suficiente.

O alfaiate astucioso, assim, ganhou seu pagamento, porque Macdonald pagou generosamente pelas calças e nunca descobriu que alguns dos pontos eram longos demais.

A história de Deirdre

Havia na Irlanda um homem chamado Malcolm Harper. Era um homem muito bom e correto e tinha uma considerável parcela dos bens deste mundo. Tinha uma esposa, mas não uma família. Certa feita, Malcolm ouviu que um adivinho havia voltado para o lugar onde viviam, e, como esse homem era um homem muito bom, ele desejou que o adivinho pudesse vir vê-lo. Fosse porque fora convidado ou por vontade própria, o adivinho foi à casa de Malcolm.

– Você ainda faz adivinhações? – perguntou Malcolm.

– Sim, tenho feito um pouco disso. Precisa de uma adivinhação?

– Sim, eu aceitaria, caso tenha algumas adivinhações para mim e estiver disposto a fazê-las.

– Pois farei isso por você. Que tipo de adivinhação? O que quer saber?

– Bem, eu queria que você me falasse sobre a minha sorte ou o que vai acontecer comigo, se puder me contar algo disso.

– Certo, eu vou sair e, quando voltar, vou lhe dizer.

O adivinho saiu da casa e não demorou muito para voltar.

– Bem – disse o adivinho –, eu vi com minha segunda visão que será por causa de uma filha sua que haverá o maior derramamento de sangue já visto em Erin desde o início dos tempos e da nossa raça. E os três heróis mais famosos que conhecemos perderão a cabeça por causa dela.

Depois de um tempo, nasceu a filha de Malcolm, e ele não permitiu que nenhum ser vivo entrasse em sua casa, além dele e da ama-seca. Ele perguntou a essa mulher:

– Você mesma criará a criança e a manterá distante e escondida, em algum lugar onde outros olhos não a verão nem outros ouvidos ouvirão uma palavra sobre ela?

A mulher disse que sim, então Malcolm chamou três homens e os levou para uma grande montanha, remota e longe do alcance de todos, sem que ninguém soubesse ou notasse. Ali ele ergueu um outeiro, redondo e verdejante, no meio de um buraco, de modo a ficar cuidadosamente oculto para que umas poucas pessoas pudessem morar lá. Assim foi feito.

Deirdre e sua mãe adotiva foram morar em uma cabana entre as montanhas, sem o conhecimento nem a suspeita de qualquer pessoa, e viveram assim sem que nada acontecesse até que Deirdre tivesse dezesseis anos de idade. Deirdre cresceu como um broto de árvore, pura e cheia de viço como o despontar das folhas novas. Era uma criatura da mais bela forma, com o aspecto mais adorável e a natureza mais gentil que existia entre a terra e o céu em toda a Irlanda. O tom de sua pele era do mais perfeito ebúrneo, e seu rosto coraria de um vermelho ardente perante qualquer pessoa que a olhasse.

A mulher que estava encarregada dela deu a Deirdre toda a instrução e habilidade de que ela mesma dispunha e conhecia. Não havia uma folha de grama crescendo nos campos, pássaro cantando na floresta, nem estrela brilhando do céu cujo nome Deirdre não soubesse. Havia uma exceção: a mulher não queria que Deirdre encontrasse ou conversasse com nenhum homem vivo do restante do mundo.

Em uma noite sombria de inverno, cheia de nuvens negras e carrancudas, um caçador estava andarilhando exaustivamente pelas colinas, e por grande azar ele perdeu o rastro da caça, extraviou-se de seu caminho e de seus companheiros. Uma sonolência tomou conta do homem enquanto ele vagava cansado pelas colinas, e ele se deitou ao lado do belo outeiro verde onde Deirdre vivia, e dormiu. Entorpecido pelo frio, fraco de fome e de tanto andarilhar, um sono profundo recaiu sobre ele. Naquela noite escura, o homem teve um sonho bonito, mas perturbador; ele pensou estar ao lado de uma aconchegante e pequena torre de pedras, dentro da qual havia fadas tocando música. Em desespero, o caçador gritou em seu sonho, se houvesse alguém naquela construção, que o deixasse entrar pelo amor do Santo.

Deirdre ouviu a voz e perguntou à mãe adotiva:

– Oh, mãe adotiva, que grito é esse?

– Não é nada, Deirdre, apenas pássaros perdidos nos ares e procurando uns aos outros. Mas deixe-os voar para a clareira do bosque. Não há abrigo nem moradia para eles aqui.

– Oh, mãe adotiva, o pássaro pediu para entrar pelo amor ao Deus dos Elementos, e você mesma me disse que tudo o que é pedido em nome Dele devemos fazer. Se você não permitir que um pássaro entorpecido de frio e morto de fome entre, então não tenho como levar em consideração suas palavras e sua fé. Mas, uma vez que acredito em suas palavras e em sua fé, que você mesma me ensinou, deixarei o pássaro entrar.

E Deirdre rapidamente se levantou e puxou o ferrolho da porta, e assim deixou o caçador entrar. Ela colocou uma cadeira para que ele se sentasse, e ofereceu comida e bebida para o homem que veio à sua casa.

– Oh, por esta vida e por minhas roupas, você, homem que entrou, vigie a sua língua! – ordenou a mulher. – Não deverá ser difícil para você manter a boca fechada e a língua quieta quando entra em uma casa e se abriga perante uma lareira em uma noite triste de inverno.

– Bem – disse o caçador –, eu posso fazer isso, manter minha boca fechada e minha língua quieta, já que vim para sua casa e recebi sua hospitalidade; mas por suas mãos, e as de seu pai e de seu avô, se alguma pessoa do mundo visse esta criatura linda que você esconde aqui, não a deixaria com você por muito tempo, eu juro.

– Que pessoas são essas a quem você se refere? – perguntou Deirdre.

– Bem, vou lhe contar, jovem – disse o caçador. – São Naois, filho de Uisnech, e Allen e Arden, seus dois irmãos.

– Como é a aparência desses homens, para o caso de nós os vermos? – perguntou Deirdre.

– Ora, a aparência desses homens é a seguinte – disse o caçador –: eles têm a cor do corvo em seus cabelos, a pele branca como um cisne nas ondas do lago, suas faces são como o sangue do bezerro malhado, e sua agilidade e seu salto são como os do salmão das correntezas e do cervo do lado cinzento da montanha. E Naois ostenta sua cabeça e seus ombros acima do restante do povo de Erin.

– Independentemente de como sejam – disse a mãe adotiva –, saia daqui e pegue outro caminho. E, pelo Rei da Luz e do Sol, certamente nada tenho a agradecer a você ou a ela que o deixou entrar!

O caçador foi embora e seguiu direto para o palácio do rei Connachar. Ele mandou uma mensagem ao rei avisando que desejava lhe falar se ele quisesse recebê-lo. O rei respondeu à mensagem e saiu para falar com o homem.

– Qual é o motivo da sua viagem? – perguntou o rei ao caçador.

– Só preciso dizer a você, majestade – disse o caçador –, que vi a criatura mais bela que já nasceu em Erin, e vim para lhe contar a respeito.

– Quem é essa criatura bela e onde ela pode ser vista, onde ela não era vista até que você a visse, se você a viu?

– Bem, eu a vi – afirmou o caçador. – Mas nenhum outro homem pode vê-la a menos que receba instruções de mim sobre onde ela está morando.

– E você vai me dizer onde ela mora? A recompensa por você me direcionar até lá será tão boa quanto a que receberá por sua mensagem – disse o rei.

– Bem, vou direcioná-lo, majestade, embora tenha certeza de que isso não é o que elas querem – disse o caçador.

Connachar, rei de Ulster, mandou chamar os homens de seu clã e contou-lhes suas intenções.

Embora muito cedo o canto dos pássaros se erguesse nas cavernas rochosas e sua música se ouvisse nos bosques, antes mesmo disso Connachar, rei de Ulster, levantou-se, com sua pequena tropa de amigos queridos, no delicioso crepúsculo do mês fresco e suave de maio; o orvalho pesava em cada arbusto, flor e caule, enquanto eles partiam para buscar Deirdre no outeiro verde onde ela habitava. No início da jornada, muitos daqueles jovens tinham saltos ágeis e passo célere, mas quando chegaram próximos à cabana o passo era débil, tropeçante e vacilante devido à extensão do caminho e à aspereza da estrada.

– Ali, no fundo do vale, está o lugar onde a mulher mora, mas não chegarei mais perto da velha do que isto – disse o caçador.

Connachar e seus homens desceram até o outeiro verde onde Deirdre morava, e o rei bateu à porta da cabana. A mãe adotiva respondeu:

– Nada menos do que a ordem e o exército de um rei poderiam me tirar da cabana esta noite. E eu ficaria agradecida se você me dissesse quem é e por que quer que eu abra a minha porta.

– Sou eu, Connachar, rei de Ulster.

Quando a pobre mulher ouviu quem estava à porta, levantou-se pressurosa e deixou entrar o rei e todos de sua comitiva.

Quando o rei viu a jovem que estava diante dele, a mesma que ele procurava, pensou jamais ter visto no correr dos dias nem nos sonhos da noite uma criatura tão bela como Deirdre, e ele dedicou todo o amor de seu coração a ela. Deirdre foi erguida sobre os ombros dos heróis, e ela e sua mãe adotiva foram levadas à corte do rei Connachar de Ulster.

Com todo o amor que Connachar sentia por ela, queria se casar com Deirdre imediatamente, se é que ela o aceitasse. No entanto, ela disse:

– Ficaria muito grata se me desse o prazo de um ano e um dia.

Ele respondeu:

– Por mais difícil que seja essa espera, farei esta concessão se você me der sua promessa infalível de que se casará comigo ao final de um ano.

E ela assim prometeu. Connachar deu para ela uma professora e um séquito de alegres e modestas donzelas, que se deitavam e se levantavam com ela, que brincavam e conversavam com a jovem. Deirdre era inteligente em deveres de donzela e compreensão de esposa, e Connachar pensava que nunca tinha visto uma criatura que o agradasse mais.

Um dia, Deirdre e suas companheiras estavam na colina para além da casa apreciando a paisagem e aproveitando o calor do sol, quando viram se aproximar três homens que viajavam por ali. Deirdre observou os homens que se aproximavam, indagando-se sobre eles. Quando chegaram mais perto, Deirdre lembrou-se das palavras do caçador e disse a si mesma que esses eram os três filhos de Uisnech, e que aquele era Naois, cuja cabeça e ombros pairavam acima de todos os homens de Erin. Os três irmãos passaram sem notá-las, sem sequer olhar para as moças no outeiro. Mas um forte e inexplicável amor por Naois se apoderou do coração de Deirdre, de modo que ela não pôde deixar de segui-lo. Ela segurou suas saias e seguiu atrás dos homens que agora passavam pela base da colina, deixando suas acompanhantes onde estavam. Allen e Arden tinham ouvido falar da linda mulher que Connachar, rei de Ulster, abrigava em seu castelo, e pensaram que, se Naois, o irmão deles, a visse, ele a tomaria para si, especialmente porque ela ainda não era casada com o rei. Perceberam que uma mulher se aproximava e chamaram uns aos outros para apressar o passo, pois tinham uma longa distância a percorrer, e o crepúsculo noturno estava se aproximando. Assim o fizeram. Ela gritou:

– Naois, filho de Uisnech, você vai me deixar?

– Que grito agudo é esse? É o mais melodioso que meu ouvido já ouviu e, entre todos os gritos, o mais penetrante que já atingiu meu coração.

– Não pode ser outra coisa senão o lamento dos cisnes de Connachar – disseram seus irmãos.

– Não! Esse é o grito de angústia de uma mulher – disse Naois, e ele jurou que não iria mais longe até que encontrasse quem gritou, portanto voltou atrás.

Naois e Deirdre se encontraram, e Deirdre beijou Naois três vezes e deu um beijo em cada um de seus irmãos. Com a vergonha que se apossou dela, Deirdre sentiu-se em uma maré carmesim de fogo, de modo que a cor ia e vinha de suas faces tão rapidamente quanto o movimento do álamo à margem do riacho. Naois achava que nunca tinha visto uma criatura mais bela e dedicou a Deirdre o amor que ele nunca concedera às coisas, à visão ou a qualquer outra criatura.

Então Naois colocou Deirdre sobre seu ombro e disse a seus irmãos para apertarem o passo, e assim eles fizeram.

Connachar, rei de Ulster, filho de seu tio, o havia atacado por causa da mulher, embora ele não tivesse se casado com ela. Naois entendeu que não seria bom para ele permanecer em Erin e voltou para Alba, isto é, Escócia. Ele alcançou a margem do Lago Etive e construiu sua moradia lá. Ali era capaz de matar o salmão nas correntezas desde sua própria porta, e o cervo do desfiladeiro cinzento, desde sua janela. Naois, Deirdre, Allen e Arden moravam em uma torre e eram felizes desde que se instalaram naquele lugar.

Nessa época, chegou o fim do período de um ano em que Deirdre tinha prometido se casar com Connachar, rei de Ulster. Connachar decidiu tomar Deirdre de volta pela espada, fosse ela casada com Naois ou não. Então ele preparou um grande e alegre banquete e enviou uma mensagem por toda Erin, para que seus parentes comparecessem. Connachar pensou consigo que Naois não viria mesmo que ele o intimasse; e o plano que surgiu em sua mente foi mandar chamar o irmão de seu pai, Ferchar Mac Ro, e mandá-lo como representante até Naois. Assim o fez; e Connachar falou a Ferchar:

– Diga a Naois, filho de Uisnech, que estou propondo um grande e alegre banquete para meus amigos e parentes de toda Erin, e que não terei descanso de dia nem sono à noite se ele, Allen e Arden não participarem da festa.

Ferchar Mac Ro e seus três filhos seguiram viagem e chegaram à torre onde Naois estava morando ao lado do Lago Etive. Os filhos de Uisnech deram as boas-vindas cordiais a Ferchar Mac Ro e seus três filhos e pediram notícias de Erin.

– A melhor notícia que tenho para vocês – disse o bravo herói – é que Connachar, Rei de Ulster, está oferecendo um grande e suntuoso banquete para seus amigos e parentes de toda Erin, e ele jurou pela terra sob seus pés, pelo alto céu sobre sua cabeça e pelo sol que se dirige para o Oeste que ele não terá descanso durante o dia nem sono à noite se os filhos de Uisnech, os filhos do irmão de seu próprio pai, não voltarem para sua casa e sua terra natal a fim de participar da festa. Enviou-nos como representantes para convidá-los.

– Vamos com você – disse Naois.

– Sim, vamos – concordaram seus irmãos.

Mas Deirdre não queria ir com Ferchar Mac Ro e tentou de todas as formas fazer com que Naois não partisse com ele. Ela pediu:

– Eu tive uma visão, Naois, interprete-a para mim – falou Deirdre, e então cantou:

> Ó Naois, filho de Uisnech, ouça
> O que me foi mostrado em um sonho.
> Do Sul vieram três pombas brancas,
> Voando sobre o mar,
> Traziam no bico gotas de mel
> Da colmeia das abelhas.
>
> Ó Naois, filho de Uisnech, ouça
> O que foi mostrado em um sonho para mim.
> Vi três falcões cinzentos
> Vindos do Sul voando sobre o mar
> E traziam gotas muito vermelhas nos bicos.
> Eles eram mais queridos que a vida para mim.

Naois falou:

– Isto nada mais é do que o medo do coração de uma mulher, revelado em um sonho da noite, Deirdre. – E insistiu: – Se Connachar envia o convite para seu banquete, será azar para nós se não formos, ó Deirdre.

– Você irá – disse Ferchar Mac Ro – e, se Connachar tratá-lo com gentileza, com gentileza você o tratará; e, se ele se voltar com ira contra você, mostre sua ira a ele, e eu e meus três filhos estaremos ao seu lado.

– Nós vamos – disse Pingo de Audácia.

– Sim, vamos – falou Forte Azevim.

– Vamos – afirmou Fiallan, o Justo.

– Tenho três filhos, três heróis, e, qualquer perigo ou mal que lhe aconteça, eles estarão com você, e eu mesmo estarei. – Ferchar Mac Ro fez o juramento e deu sua palavra na presença de suas armas de que, qualquer dano ou perigo que sobreviesse aos filhos de Uisnech, ele e seus três filhos não deixariam vivalma em Erin, independentemente de espada ou elmo, lança ou escudo, lâmina ou cota de malha, por melhor que fossem.

Deirdre não queria deixar Alba, mas acompanhou Naois. Ela derramou lágrimas em profusão e cantou:

> *Querida é a terra, a terra logo ali,*
> *Alba cheia de bosques e de lagos;*
> *Amargo é para meu coração deixá-la,*
> *Mas vou embora com Naois.*

Ferchar Mac Ro não se conteve até conseguir trazer os filhos de Uisnech consigo, apesar da desconfiança de Deirdre. O barco foi lançado ao mar, a vela foi içada; e no segundo dia eles chegaram à costa alva de Erin.

Assim que os filhos de Uisnech desembarcaram em Erin, Ferchar Mac Ro enviou uma mensagem a Connachar, rei de Ulster, avisando que os homens que ele queria haviam chegado e que agora mostrasse sua bondade para com eles.

– Bem – disse Connachar –, eu não esperava que os filhos de Uisnech viessem, apesar do meu convite, e não estou totalmente pronto para recebê--los. Mas há uma casa ali onde eu hospedo os forasteiros, e os deixarei acomodar-se lá hoje; minha casa estará pronta para recebê-los amanhã.

Contudo, ele, que habitava no palácio, sentiu que fazia muito tempo que não tinha notícias de como iam as coisas com seus convidados na casa dos forasteiros.

– Vá, Gelban Grednach, filho do rei de Lochlin, vá até lá e descubra para mim se Deirdre ainda possui as cores e as formas de antes. Caso possua, vou tomá-la com o fio da lâmina e a ponta da espada e, caso não, que Naois, filho de Uisnech, fique com ela – disse Connachar.

Gelban, o alegre e encantador filho do rei de Lochlin, foi até a casa dos forasteiros, onde os filhos de Uisnech e Deirdre se hospedavam. Ele espiou através de um orifício na porta. Quando a observou, ela, como sempre acontecia quando alguém a contemplava, cobriu-se com uma labareda carmesim de rubores. Naois olhou para Deirdre e soube que alguém a estava espiando por trás da porta. Ele agarrou um dos dados da mesa à sua frente e atirou-o pelo buraco da porta, e arrancou o olho de Gelban Grednach, o Alegre e Encantador, fazendo-o sair pelo outro lado da cabeça. Gelban voltou ao palácio do rei Connachar.

– Quando partiu, você estava alegre e encantador, e agora volta triste e desanimado. O que aconteceu com você, Gelban? Chegou a vê-la? As formas e as cores de Deirdre são como antes? – perguntou Connachar.

– Bem, eu vi Deirdre, e a vi muito bem, e, enquanto eu a estava olhando pelo buraco na porta, Naois, filho de Uisnech, acertou meu olho com um dos dados em sua mão. Mas, na verdade, embora ele tenha arrancado meu olho, desejei ainda continuar contemplando a donzela com o outro olho, não fosse pela presteza que você me solicitou – respondeu Gelban.

– Isso é verdade, você voltou bem rápido – disse Connachar. – Que trezentos bravos heróis se dirijam para a hospedaria dos forasteiros, tragam-me Deirdre e matem os outros.

Assim Connachar ordenou que trezentos heróis ativos fossem à residência dos estranhos, trouxessem Deirdre consigo e matassem o restante.

– A caçada começou – disse Deirdre.

– Sim, mas eu mesmo vou impedi-la – disse Naois.

– Nós vamos, não vocês – disse Pingo de Audácia, Forte Azevim e Fiallan, o Justo. – Antes de ir para casa, nosso pai nos encarregou de sua defesa para que sobre vocês não recaia nenhum mal ou perigo.

E os jovens galantes de lindos cachos castanhos, nobres, viris e bonitos, saíram munidos de armas adequadas para uma luta feroz e paramentados com trajes de combate próprios para torneios ferozes, que eram brilhantes, refulgentes, deslumbrantes, resplandecentes, nas quais se viam muitas figuras de animais, pássaros e bichos rastejantes, leões e tigres de patas ágeis, a águia parda, o falcão atroz e a víbora feroz; e os jovens heróis derrotaram três terços daquele destacamento.

Connachar saiu apressado e gritou furioso:

– Quem está no campo de batalha massacrando meus homens?

– Nós, os três filhos de Ferchar Mac Ro.

– Muito bem – disse o rei. – Darei passagem livre na ponte a seu avô, a seu pai e a cada um de vocês três se se aliarem a mim esta noite.

– Bem, Connachar, não aceitaremos essa oferta nem lhe agradeceremos por isso. Preferimos ir para casa com nosso pai e contar nossos atos de heroísmo a aceitar qualquer proposta sua nesses termos. Naois, filho de Uisnech, e Allen e Arden são tão parentes seus quanto nossos; e, se você está tão ansioso para derramar o sangue deles, derramará nosso sangue também, Connachar. – Assim os jovens nobres, viris, bonitos, com lindos cabelos castanhos, voltaram-lhe as costas. E já dentro da casa disseram:
– Agora estamos indo para casa para dizer a nosso pai que vocês estão a salvo das mãos do rei.

E os rapazes, jovens, altos, ágeis e bonitos, voltaram para a casa de seu pai para contar que os filhos de Uisnech estavam bem. Isso aconteceu na transição entre o dia e a noite, no crepúsculo; e Naois disse que eles deveriam ir embora, deixar aquela casa e voltar para Alba.

Naois e Deirdre, Allan e Arden se puseram a caminho de Alba. O rei recebeu a notícia de que o grupo que ele procurava havia sumido. O rei então mandou chamar o druida Duanan Gacha, o melhor mago que ele tinha à disposição, e falou com ele nestes termos:

– Druida Duanan Gacha, terei desperdiçado muito de minha riqueza para dar-lhe instrução e aprendizado nos mistérios da magia se essas pessoas fugirem de mim hoje sem nenhuma prudência, preocupação nem consideração por mim, e sem que eu tenha a chance de alcançá-los e o poder para detê-los.

– Bem, eu vou detê-los – disse o mago – até que o regimento que você enviou em sua perseguição retorne.

E o mago colocou uma floresta diante deles pela qual nenhum homem poderia passar, mas os filhos de Uisnech marcharam através da floresta sem parar nem hesitar, e Deirdre segurou a mão de Naois.

– E qual foi a utilidade disso? Ainda não basta! – gritou Connachar. – Eles se foram sem dar folga aos pés ou deter os passos, sem mostrar deferência ou respeito por mim, e não tenho poder para lhes fazer frente nem para trazê-los de volta ainda nesta noite.

– Vou tentar outro plano com eles – disse o druida, e colocou diante deles um mar cinzento em vez de uma planície verdejante.

Os três heróis se despiram e amarraram as roupas atrás da cabeça, e Naois colocou Deirdre em seu ombro. Encararam sem medo a força da correnteza, e o mar e a terra eram para eles iguais, o oceano cinzento e agitado era o mesmo que a planície e o verde da campina.

– Embora seja bom esse artifício, ó Duanan, não fará com que os heróis retornem – disse Connachar. – Eles partiram sem nenhuma consideração e de forma desonrosa para mim, e não há poderes de minha parte para persegui-los ou forçá-los a voltar esta noite.

– Devemos tentar outro método com eles, já que nenhum desses os impediu – disse o druida.

E o druida congelou as cristas cinzentas do mar em duras protuberâncias rochosas, com a agudeza da espada de um lado e o poder do veneno das víboras do outro. Então Arden gritou que estava ficando cansado e quase se entregando.

– Venha, Arden, e sente-se no meu ombro direito – disse Naois.

Arden veio e sentou-se no ombro de Naois; ficou muito tempo nessa posição antes de morrer. No entanto, embora estivesse morto, Naois não o abandonou. Allen então gritou que estava ficando fraco e queria desistir. Quando Naois ouviu sua súplica, ele exalou um suspiro lancinante de morte e pediu a Allen que o segurasse, pois o levaria para a terra.

Não demorou muito para que a fraqueza da morte recaísse sobre Allen e ele não conseguisse mais se segurar. Naois olhou em volta e, quando viu seus dois amados irmãos mortos, não se importou se viveria ou morreria, exalou o suspiro amargo da morte, e seu coração rebentou.

– Eles se foram – disse o druida Duanan Gacha ao rei. – Fiz como você me requisitou. Os filhos de Uisnech estão mortos e não vão mais incomodá-lo, e você tem sua futura esposa sã e salva para si.

– Seja abençoado por isso e que os bons resultados venham a mim, Duanan. Já não considero um desperdício o tanto que gastei na sua instrução e treinamento. Agora, acabe com a enchente e deixe-me ver se consigo enxergar Deirdre – pediu Connachar.

O druida Duanan Gacha fez secar a planície inundada e, na planície verdejante, os três filhos de Uisnech jaziam juntos, lado a lado, sem fôlego vital, mortos. Deirdre estava curvada sobre eles, derramando lágrimas.

Então Deirdre cantou esta elegia:

– Meu amado e formoso, ápice da beleza; meu querido justo e forte; meu guerreiro nobre e modesto. Primoroso, de olhos azuis, amado por sua esposa; tão adorável para mim veio sua voz clara através dos bosques da Irlanda, onde nos encontramos. De agora em diante não conseguirei mais comer ou sorrir. Não se parta hoje, meu coração: em breve jazerei em meu túmulo. Fortes são as ondas da tristeza, porém mais forte é a personificação da tristeza: Connachar.

O povo então se reuniu em volta dos corpos dos heróis e perguntaram a Connachar o que deveria ser feito com eles. A ordem que ele deu foi que cavassem uma cova e colocassem os três irmãos lado a lado.

Deirdre continuou sentada à beira da sepultura, constantemente pedindo aos coveiros que cavassem a cova bastante ampla e aberta. Quando os corpos dos irmãos foram colocados na sepultura, Deirdre falou:

– Venha cá, Naois, meu amor, deixe Arden deitar-se perto de Allen. Se os mortos pudessem sentir, você teria guardado um lugar para Deirdre.

Os homens fizeram como ela ordenou. Ela pulou na cova e deitou-se com Naois, e morreu ao seu lado.

O rei mandou que o corpo de Deirdre fosse retirado da sepultura e enterrado do outro lado do lago. A vontade de Connachar foi feita, e a cova foi fechada. Depois, um broto de abeto cresceu sobre o túmulo de Deirdre, e um broto de abeto cresceu sobre o túmulo de Naois, e as duas árvores de abeto se uniram em um nó acima do lago. O rei ordenou que as árvores fossem cortadas, e isso foi feito duas vezes, até que, na terceira vez, a esposa com quem o rei havia se casado o fez parar com essa obra da perversidade e da vingança sobre os restos mortais.

Munachar e Manachar

Era uma vez Munachar e Manachar, e eles viveram há muito tempo, pois, se estivessem vivos agora, não estariam naquele tempo. Eles tinham o costume de sair juntos para colher framboesas, e tantas quantas Munachar colhia, Manachar comia. Munachar disse que precisava procurar uma vara para fazer uma aguilhada para matar Manachar, que havia comido todas as suas framboesas; então ele foi até uma vara.

– Quais as notícias de hoje? – perguntou a vara.

– São as minhas próprias notícias. Busco uma vara, uma vara para fazer uma aguilhada, aguilhada para matar Manachar, que comeu todas as minhas framboesas.

– Você não vai me pegar – disse a vara – antes de conseguir um machado para me cortar.

Então ele foi até um machado.

– Quais são as notícias de hoje? – perguntou o machado.

– São as minhas próprias notícias. Busco um machado, um machado para cortar uma vara, vara para fazer uma aguilhada, aguilhada para matar Manachar, que comeu todas as minhas framboesas.

– Você não vai me pegar – disse o machado – antes de conseguir uma pedra para me afiar.

Ele foi até a pedra.

– Quais são as notícias de hoje? – perguntou a pedra.

– São as minhas próprias notícias que procuro. Busco uma pedra, uma pedra para afiar um machado, machado para cortar uma vara, vara para fazer uma aguilhada, aguilhada para matar Manachar, que comeu todas as minhas framboesas.

– Você não vai me pegar – disse a pedra – antes de conseguir água para me molhar.

Ele foi até a água.

– Quais são as notícias de hoje? – perguntou a água.

– São as minhas próprias notícias que procuro. Busco por água, água para molhar a pedra, pedra para afiar um machado, machado para cortar uma vara, vara para fazer uma aguilhada, aguilhada para matar Manachar, que comeu todas as minhas framboesas.

– Você não vai me pegar – disse a água – antes de conseguir um cervo para nadar em mim.

Ele foi até o cervo.

– Quais são as notícias de hoje? – perguntou o cervo.

– São as minhas próprias notícias que procuro. Busco por um cervo, um cervo para nadar na água, água para molhar a pedra, pedra para afiar um machado, machado para cortar uma vara, vara para fazer uma aguilhada, aguilhada para matar Manachar, que comeu todas as minhas framboesas.

– Você não vai me pegar – disse o cervo – antes de conseguir um cão para me caçar.

Ele foi até o cão.

– Quais são as notícias de hoje? – perguntou o cão.

– São as minhas próprias notícias que procuro. Busco por um cão, um cão para caçar um cervo, cervo para nadar na água, água para molhar a pedra, pedra para afiar um machado, machado para cortar uma vara, vara para fazer uma aguilhada, aguilhada para matar Manachar, que comeu todas as minhas framboesas.

– Você não vai me pegar – disse o cão – antes de conseguir um pouco de manteiga para colocar nas minhas garras.

Ele foi até a manteiga.

– Quais são as notícias de hoje? – perguntou a manteiga.

– São as minhas próprias notícias que procuro. Busco por manteiga, manteiga para passar nas garras do cão, cão para caçar um cervo, cervo para nadar na água, água para molhar a pedra, pedra para afiar um machado, machado para cortar uma vara, vara para fazer uma aguilhada, aguilhada para matar Manachar, que comeu todas as minhas framboesas.

– Você não vai me pegar – disse a manteiga – antes de encontrar um gato para me arranhar.

Ele foi até o gato.

– Quais são as notícias de hoje? – perguntou o gato.

– São as minhas próprias notícias que procuro. Busco por um gato, gato para arranhar a manteiga, manteiga para passar nas garras do cão, cão para caçar um cervo, cervo para nadar na água, água para molhar a pedra, pedra para afiar um machado, machado para cortar uma vara, vara para fazer uma aguilhada, aguilhada para matar Manachar, que comeu todas as minhas framboesas.

– Você não vai me pegar – disse o gato – antes de conseguir leite para eu tomar.

Ele foi até a vaca.

– Quais são as notícias de hoje? – perguntou a vaca.

– São as minhas próprias notícias que procuro. Busco por uma vaca, vaca para me dar leite, leite para dar ao gato, gato para arranhar a manteiga, manteiga para passar nas garras do cão, cão para caçar um cervo, cervo para nadar na água, água para molhar a pedra, pedra para afiar um machado, machado para cortar uma vara, vara para fazer uma aguilhada, aguilhada para matar Manachar, que comeu todas as minhas framboesas.

– Você não receberá nenhum leite de mim – disse a vaca – antes de me trazer um punhado de palha daqueles debulhadores ali.

Ele foi até os debulhadores.

– Quais são as notícias de hoje? – perguntaram os debulhadores.

– São as minhas próprias notícias que procuro. Busco por um punhado de palha, palha para dar à vaca, vaca para me dar leite, leite para dar ao gato,

gato para arranhar a manteiga, manteiga para passar nas garras do cão, cão para caçar um cervo, cervo para nadar na água, água para molhar a pedra, pedra para afiar um machado, machado para cortar uma vara, vara para fazer uma aguilhada, aguilhada para matar Manachar, que comeu todas as minhas framboesas.

– Você não receberá nenhum punhado de palha de nós – disseram os debulhadores – antes que nos traga do moleiro os ingredientes para fazer um bolo.

Ele foi até o moleiro.

– Quais são as notícias de hoje? – perguntou o moleiro.

– São as minhas notícias que procuro. Busco os ingredientes para fazer um bolo, que darei aos debulhadores, para que os debulhadores me deem um punhado de palha, um punhado de palha para dar à vaca, vaca para me dar leite, leite para dar ao gato, gato para arranhar a manteiga, manteiga para passar nas garras do cão, cão para caçar o cervo, cervo para nadar na água, água para molhar a pedra, pedra para afiar o machado, machado para cortar uma vara, vara para fazer uma aguilhada, aguilhada para matar Manachar, que comeu todas as minhas framboesas.

– Você não vai conseguir nenhum ingrediente para bolo – disse o moleiro – antes de me trazer aquela peneira cheia de água do rio.

Ele pegou a peneira e foi até o rio, mas, sempre que ele se abaixava e a enchia com água, a água escorria no momento em que ele a levantava; e, é claro, se ele continuasse tentando, estaria ali até agora e ainda não teria conseguido enchê-la. Um corvo passou voando por cima da cabeça dele.

– Unte-a! Unte-a! – crocitou o corvo.

– Minhas bênçãos para você! – agradeceu Munachar. – É de fato um bom conselho que você me dá.

E ele pegou a argila vermelha e as folhas secas que estavam à beira do rio e as esfregou no fundo da peneira, até que todos os buracos foram preenchidos, e então a peneira reteve a água, e ele levou a água para o moleiro, e o moleiro deu-lhe os ingredientes para fazer um bolo, e ele deu os ingredientes do bolo aos debulhadores, e os debulhadores deram-lhe um punhado de palha, e ele deu o punhado de palha para a vaca, e a vaca deu-lhe leite, o leite ele deu para o gato, o gato arranhou a manteiga, a manteiga foi para as garras do cão, o cão caçou o veado, o veado nadou na água, a água molhou a pedra, a pedra afiou o machado, o machado cortou a vara, e com a vara ele fez uma aguilhada, e quando ele estava pronto para matar Manachar, descobriu que Manachar tinha EXPLODIDO de tanto comer.

Árvore de Ouro e Árvore de Prata

Era uma vez um rei que tinha uma esposa, cujo nome era Árvore de Prata, e uma filha, chamada Árvore de Ouro. Certo dia, Árvore de Ouro e Árvore de Prata foram a um vale, onde havia um poço, e nele havia uma truta.

Árvore de Prata perguntou:

– Trutinha, minha amiga, não sou eu a rainha mais bonita do mundo?

– Oh! Na verdade, você não é.

– Quem é então?

– Ora, é Árvore de Ouro, sua filha.

Árvore de Prata foi para casa, cega de raiva. Ela se deitou na cama e jurou que nunca ficaria bem até que pudesse comer o coração e o fígado de Árvore de Ouro, sua filha. Ao cair da noite, o rei voltou para casa e disseram-lhe que Árvore de Prata, sua esposa, estava muito doente. Ele foi até ela e perguntou o que havia de errado.

– Oh! Apenas uma coisa poderá me curar, se você quiser fazer isso por mim.

– Não há absolutamente nada que eu possa fazer por você que eu não faria.

– Se eu conseguir o coração e o fígado de minha filha, Árvore de Ouro, para comer, ficarei bem.

Aconteceu mais ou menos nessa época que o filho de um grande rei viera do exterior para pedir Árvore de Ouro em casamento. O rei concordou, e eles foram morar em outro reino.

O rei então mandou seus homens até a colina para caçar um bode, e ele deu o coração e o fígado do bode para sua esposa comer; e ela se levantou bem e com saúde.

Um ano depois, Árvore de Prata foi para o vale, onde havia o poço com as trutas.

Árvore de Prata perguntou:

– Trutinha, minha amiga, não sou eu a rainha mais bonita do mundo?

– Oh! Na verdade, você não é.

– Quem é então?

– Ora, é Árvore de Ouro, sua filha.

– Oh! Mas faz muito tempo que ela morreu. Faz um ano que comi seu coração e seu fígado.

– Na verdade, ela não está morta. Está casada com um importante príncipe estrangeiro.

Árvore de Prata foi para casa, implorou ao rei que preparasse o navio e disse:

– Vou ver minha querida Árvore de Ouro, pois faz muito tempo que não a vejo.

O navio foi preparado, e eles partiram.

Era a própria Árvore de Prata quem estava no leme, e ela conduzia o navio tão bem que não demorou muito para chegar ao destino.

O príncipe estava caçando nas colinas quando Árvore de Ouro soube que o navio de seu pai estava chegando.

– Oh! – lamentou ela aos servos. – Minha mãe está vindo, e ela vai me matar!

– Ela não vai matá-la de forma alguma, pois vamos trancá-la em um quarto onde ela não poderá chegar perto de você.

E assim foi feito. Quando Árvore de Prata desembarcou, ela começou a bradar:

– Venha encontrar-se com sua mãe, pois vim aqui para visitá-la!

Árvore de Ouro explicou que não podia, porque estava trancada no quarto e não conseguia sair dele.

– Você não poderia colocar seu dedo mindinho pelo buraco da fechadura – pediu Árvore de Prata –, para que sua própria mãe possa dar um beijo nele?

A filha estendeu o dedo mindinho, e Árvore de Prata o furou com uma agulha envenenada. Árvore de Ouro caiu morta.

Quando o príncipe voltou para casa e encontrou Árvore de Ouro morta, ele ficou muito triste, e, ao reparar no quanto ela era bonita, ele não deixou que fosse sepultada e a trancou em um quarto onde ninguém se aproximaria dela.

Com o passar do tempo, ele se casou novamente, e a casa inteira estava sob os cuidados dessa nova esposa, exceto um quarto, cuja chave o próprio príncipe mantinha em sua posse. Certo dia, ele se esqueceu de levar a chave consigo, e a segunda esposa entrou no quarto. E o que ela encontrou lá não foi nada menos que a mulher mais linda que ela já vira.

Ela começou a mexer nela e tentou acordá-la, quando notou a agulha envenenada em seu dedo. Ela retirou a agulha, e Árvore de Ouro se levantou, viva e bela como sempre fora.

Ao cair da noite, o príncipe voltou da caçada na colina parecendo muito abatido.

– Que presente você me daria – perguntou a esposa – se eu pudesse fazer você sorrir?

– Oh! Na verdade, nada poderia me fazer sorrir, a não ser que Árvore de Ouro ganhasse vida novamente.

– Bem, você a encontrará viva lá no quarto.

Quando o príncipe viu Árvore de Ouro viva, ele sentiu uma enorme alegria e começou a beijá-la, e beijá-la, e beijá-la. A segunda esposa disse:

– Já que ela é a primeira esposa, é melhor você ficar com ela, e eu vou embora.

– Oh! Na verdade, você não deve ir embora. Pretendo ficar com vocês duas.

No final do ano, Árvore de Prata foi até o vale, onde ficava o poço, onde morava a truta.

Árvore de Prata perguntou:

– Trutinha, minha amiga, não sou eu a rainha mais bonita do mundo?

– Oh! Na verdade, você não é.

– Quem é então?

– Ora, é Árvore de Ouro, sua filha.

– Oh! Mas ela já não vive. Já se passou um ano desde que espetei o dedo dela com uma agulha envenenada.

– Na verdade, ela não está morta.

Árvore de Prata foi para casa e implorou ao rei para preparar o navio; ia visitar sua querida Árvore de Ouro, pois fazia muito tempo que ela não a via. O navio foi preparado, e eles partiram. Era a própria Árvore de Prata quem estava no leme, e ela conduzia o navio tão bem que não demorou muito para chegar ao destino.

O príncipe estava caçando nas colinas, quando Árvore de Ouro soube que o navio de seu pai estava chegando.

– Oh! – lamentou ela aos servos. – Minha mãe está vindo, e ela vai me matar!

– Não vai, não – disse a segunda esposa. – Vamos lá para encontrá-la.

Árvore de Prata desceu do navio.

– Venha, Árvore de Ouro, meu amor – disse ela –, pois sua própria mãe trouxe para você uma bebida preciosa.

– É um costume neste país – disse a segunda esposa – que a pessoa que oferece uma bebida tome um gole primeiro.

Árvore de Prata colocou sua boca no frasco e fingiu beber, mas a segunda esposa a golpeou, de forma que parte do líquido desceu por sua garganta, e ela caiu morta. Então elas precisaram apenas carregar o cadáver para casa e enterrá-lo.

O príncipe e suas duas esposas viveram muito depois disso, felizes e em paz.

Eu os deixei lá.

O rei O'toole e sua gansa

Sempre pensei que todo mundo, de longe e de perto, já tivesse ouvido falar do rei O'Toole. Bem, a ignorância da humanidade é mesmo incalculável! Sim, senhor, você deve saber, caso não tenha ouvido antes, que existiu, muito tempo atrás, um rei chamado O'Toole, que foi um bom e velho rei dos bons e velhos tempos, e ele era o dono das igrejas nos primeiros dias. Como você pode ver, ele era o tipo certo de rei; e, como qualquer menino, ele gostava de esportes tanto quanto de sua própria vida, especialmente a caça; e desde que o sol nascia ele se esgueirava pelas montanhas atrás dos cervos. Bons tempos aqueles!

Bem, isso era muito bom, contanto que o rei tivesse saúde; mas, veja, com o passar do tempo o rei envelheceu, por essa razão ele ficou com os membros rígidos, seu coração já não batia tão feliz e ele começou a caducar e ficou totalmente perdido e sem saber como se divertir, uma vez que já não era capaz de caçar; e, juro por meu pai, foi quando o pobre rei arranjou uma gansa para ser sua distração! Oh, você pode rir se quiser, mas é verdade o que lhe digo. Era assim que a gansa distraía o rei: veja, a gansa costumava nadar pelo lago, mergulhando em busca de trutas, e sempre pescava para o rei às sextas-feiras; e voava dia sim, dia não ao redor do lago, divertindo o pobre rei. Tudo correu muito bem até que a gansa também ficou velha assim como seu mestre, e não pôde mais distraí-lo, então o pobre rei se perdeu em uma tristeza profunda. Uma manhã ele estava caminhando à beira do lago, lamentando seu destino cruel e pensando em se afogar, pois não conseguia mais se divertir na vida, quando, de repente, ele encontrou um jovem decente e poderoso vindo em sua direção.

– Deus o salve! – cumprimentou o rei ao jovem.

– Deus o salve também, rei O'Toole – respondeu o jovem.

– Que assim seja – disse o rei. – Eu sou o rei O'Toole, príncipe e plenipotenciário destas terras. Mas como você soube disso? – perguntou ele.

– Oh, não importa – falou São Kavin. Veja que esse era São Kavin, com certeza, o próprio santo disfarçado, ninguém mais. – Ah, não se preocupe, eu sei mais do que isso. Posso ousar perguntar como está sua gansa, rei O'Toole?

– Minha nossa, como você sabe da minha gansa? – inquiriu o rei.

– Ah, não importa; eu simplesmente soube – disse São Kavin.

Depois de mais um pouco de conversa, o rei perguntou:

– Quem é você?

– Sou um homem honesto – disse São Kavin.

– Bem, homem honesto – falou o rei –, e como você ganha dinheiro para se manter?

– Tornando as coisas velhas tão boas quanto as novas – disse São Kavin.

– Então você é um consertador? – perguntou o rei.

– Não – disse o santo. – Não conserto por profissão, rei O'Toole; tenho um ofício melhor do que esse. O que você diria se eu deixasse sua velha gansa como nova?

Meus caros, quando o rei O'Toole ouviu que ele faria sua gansa ficar como nova, você pode imaginar como os olhos do rei brilharam de felicidade. Com isso o rei assobiou, e logo veio a pobre gansa, como faria um cão, gingando até o velho e incapacitado mestre, tão parecida com ele quanto duas ervilhas se parecem entre si. No minuto em que o santo pôs os olhos na gansa, ele disse:

– Farei este serviço a você, rei O'Toole.

– Oh céus! – exclamou o rei muito contente. – Se fizer isso, direi que você é o sujeito mais inteligente das sete paróquias.

– Ah, por meu pai – disse São Kavin –, não diga isso, não sou tão generoso a ponto de salvar sua velha gansa de graça. O que você me dará se eu fizer este trabalho? É o que eu quero saber.

– Eu lhe darei tudo o que você pedir – respondeu o rei. – Não lhe parece justo?

– É bastante justo – respondeu o santo. – É assim que fazemos negócios! Agora, este é o pedido que farei a você, rei O'Toole: você vai me dar todas as terras sobre as quais sua gansa voar, depois que eu a deixar como nova?

– Sim, eu vou – concordou o rei.

– Não vai voltar atrás em sua palavra? – perguntou São Kavin.

– Por minha honra! – afirmou o rei O'Toole, estendendo-lhe a mão.

– Por minha honra! – repetiu São Kavin, de costas. – Negócio fechado. Venha cá! – chamou à pobre gansa. – Venha cá, sua gansa velha e manca, farei de você uma ave jovem e atlética.

Com isso, meus caros, ele pegou a gansa pelas duas asas.

– Faço o sinal da cruz em você – disse São Kavin, consagrando-a com o sinal bendito naquele mesmo instante e jogando-a para cima, para os ares. – Uou! – gritou ele, dando uma forcinha para que ela voasse.

E com isso, meus queridos, a gansa alçou os ares, voando como uma águia e dando tantas cambalhotas quanto uma andorinha antes da chuva.

Bem, meus caros, foi uma bela visão o rei ali, boquiaberto, olhando para sua pobre gansa voando agora com a leveza de uma cotovia, e melhor do que jamais estivera. Quando ela pousou a seus pés, ele lhe fez um afago na cabeça e exclamou:

– Minha adorada, você é a gansa mais querida do mundo!

– E o que você me diz – perguntou São Kavin – por deixá-la assim?

– Pelos santos – disse o rei –, digo que nada supera a arte do homem, exceto o trabalho das abelhas.

– E nada mais? – indagou São Kavin.

– Que estou em dívida com você – disse o rei.

– Vai me dar todas as terras sobre as quais sua gansa voou? – perguntou São Kavin.

– Sim, eu vou – respondeu o rei O'Toole. – E você será bem-vindo, mesmo que eu tenha de lhe dar o último acre que possuo.

– Mas você manterá verdadeiramente sua palavra? – perguntou o santo.

– Tão verdadeiramente quanto a existência do sol – disse o rei.

– Ainda bem que você disse isso, rei O'Toole – falou ele –, porque, se não dissesse, sua gansa jamais voltaria a voar.

Quando o rei cumpriu sua palavra, São Kavin ficou satisfeito e então se revelou ao rei.

– Rei O'Toole, você é um homem decente – disse ele –, pois vim aqui apenas para testá-lo. Você não me reconheceu porque estou disfarçado...

– Caramba! Então, quem é você? – perguntou o rei.

– Sou São Kavin – disse o santo, abençoando-se.

– Minha Mãe do Céu! – exclamou o rei, fazendo o sinal da cruz entre os olhos e prostrando-se de joelhos diante do santo. – É com o grande São Kavin que estou conversando todo esse tempo sem saber, como se fosse um moleque ou um tolo qualquer? Então você é um santo? – perguntou o rei.

– Sim, sou – confirmou São Kavin.

– Caramba, pensei que estivesse apenas conversando com um jovem decente – disse o rei.

– Bem, você sabe qual é a diferença agora – disse o santo. – Sou São Kavin, o maior de todos os santos.

E então o rei recebeu sua gansa como se fosse nova, para diverti-lo enquanto ele vivesse; e o santo o sustentou depois de ter ficado com sua propriedade, como contei a vocês, até o dia de sua morte, e isso não demorou a acontecer, pois a pobre gansa um dia pensou que estava pegando uma truta numa sexta-feira; mas, meus caros, foi um erro que ela cometeu, pois, em vez de uma truta, era uma enguia traiçoeira; e, em vez de a gansa matar uma truta para a ceia do rei, por meu pai, foi a enguia que matou a gansa do rei; porém nenhuma culpa recaiu sobre ele, porque ele não a comeu, nem se atreveria a comer nenhuma criatura na qual São Kavin colocou suas mãos milagrosas.

O pretendente de Olwen

Pouco depois do nascimento de Kilhuch, filho do rei Kilyth, a mãe dele morreu. Antes de sua morte, ela ordenou ao rei que ele não tomasse outra esposa até que visse uma roseira com duas flores no túmulo dela, e o rei mandava todas as manhãs alguém verificar se havia brotado algo no túmulo da falecida. Depois de muitos anos, a roseira floriu, e ele então se casou com a viúva do rei Doged. Ela predisse a seu enteado, Kilhuch, que era seu destino se casar com uma donzela chamada Olwen, e com nenhuma outra; e ele, a pedido de seu pai, foi à corte de seu primo, o rei Arthur, para pedir como um favor a mão da donzela.

Kilhuch montou em um corcel cinzento com cascos em forma de concha, tendo por arreios correntes de ouro e uma sela também de ouro. Na mão ele levava duas lanças de prata, bem temperadas, com ponta de aço e um fio capaz de ferir o vento e fazer o sangue escorrer, e mais rápidas do que a queda da gota de orvalho da folha de junco sobre a terra quando o orvalho de junho é mais intenso. Ele trazia uma espada com punho de ouro em seu quadril, cuja lâmina também era de ouro, com uma cruz da cor do relâmpago no céu incrustada. Dois galgos tigrados, de peito branco e com fortes coleiras de rubis, brincavam ao redor dele, e seu corcel fazia pedaços de grama voar com seus quatro cascos como se fossem quatro andorinhas sobre sua cabeça. O dorso do corcel estava coberto com um manto roxo e havia uma maçã de ouro em cada uma das quatro pontas. Ouro precioso também recobria os estribos e sapatos, e a folha de grama não dobrava sob eles, tão leves eram os passos do corcel quando ele se dirigia ao portão do palácio do rei Arthur.

Arthur recebeu-o com grande cerimônia e pediu-lhe que permanecesse no palácio; mas o jovem respondeu que ele não viera para comer e beber, mas para pedir um favor ao rei.

Então disse Arthur:

– Já que não quer permanecer aqui, comandante, desde que o vento sopre, a chuva molhe, o sol gire, o mar rodeie e a terra se estenda, exceto por meus navios e meu manto, minha espada, minha lança, meu escudo, minha adaga e Guinevere, minha esposa, você terá meu favor e tudo o que deseja e que puder nomear em sua língua.

Kilhuch ansiava pela mão de Olwen, a filha de Yspathaden Penkawr, e para isso pediu o favor e a ajuda de toda a corte de Arthur.

Então disse Arthur:

– Ó comandante, nunca ouvi falar da donzela que menciona nem de sua parentela, mas terei prazer em enviar mensageiros para buscá-la.

E o jovem disse:

– De boa vontade, concederei desde esta noite até a última do ano.

Então Arthur enviou mensageiros a todas as terras dentro de seus domínios em busca da donzela; e no final do ano os mensageiros de Arthur voltaram sem ter obtido nenhum conhecimento ou informação sobre Olwen.

Então Kilhuch disse:

– Todos receberam seus favores, e ainda não tenho o meu. Vou embora e levarei sua honra comigo.

Em seguida, Kay reclamou:

– Comandante imprudente e ousado! Está censurando Arthur? Venha conosco, e não nos separaremos até que você confesse que a donzela não existe neste mundo, ou até que a encontremos.

Então Kay se levantou. Ele tinha essa peculiaridade, sua respiração era capaz de suportar nove noites e nove dias debaixo da água, e ele podia viver nove noites e nove dias sem dormir. Nenhum médico era capaz de curar um ferimento causado pela espada dele. Kay era muito sutil. Quando queria, ele era capaz de ficar tão alto quanto a árvore mais alta da floresta. E ele tinha outra peculiaridade: tão grande era o calor de sua natureza que, quando chovia forte, tudo o que ele carregava permanecia seco por um palmo acima e um palmo abaixo de sua mão; e, quando seus companheiros estavam com frio, seu calor era para eles como combustível para acender o fogo.

Arthur convocou Bedwyr, que nunca se esquivou de qualquer empreendimento com o qual Kay estava comprometido. Ninguém em toda a ilha se equiparava a ele em rapidez, exceto Arthur e Drych Ail Kibthar. E, embora ele tivesse apenas uma mão, três guerreiros não conseguiam derramar sangue mais rápido do que ele no campo de batalha. Outra vantagem que ele tinha: sua lança podia produzir um ferimento igual ao de nove lanças opostas.

E Arthur chamou Kynthelig, o guia.

– Venha nesta expedição com o comandante. – Pois ele era um guia tão bom em uma terra onde nunca tinha estado quanto na sua própria terra.

Arthur também chamou Gwrhyr Gwalstawt Ieithoedd, porque ele sabia todas as línguas. E convocou Gwalchmai, o filho de Gwyar, porque ele nunca voltou para casa sem alcançar o objetivo de suas demandas. Ele era o melhor dos lacaios e o melhor dos cavaleiros. E era sobrinho de Arthur, filho de sua irmã e de seu primo.

E Arthur chamou Menw, o filho de Teirgwaeth, para que, se eles fossem a um território selvagem, ele pudesse lançar um feitiço e uma ilusão sobre eles, de modo que ninguém seria capaz de vê-los enquanto eles poderiam ver todos.

Eles partiram e viajaram até chegar a uma vasta planície aberta, onde viram um grande castelo, que era o mais belo do mundo. Mas estava tão distante que, mesmo depois do dia inteiro de caminhada, não parecia ter ficado mais perto, e eles mal o alcançaram no terceiro dia. Quando chegaram ao castelo, avistaram um vasto e interminável rebanho de ovelhas. Eles contaram sua missão ao pastor, que se esforçou para dissuadi-los, explicando que ninguém que fizera essa busca antes havia retornado vivo. Eles lhe deram um anel de ouro, que ele entregou à esposa, contando-lhe quem eram os visitantes.

Ao se aproximarem dela, a mulher correu de alegria para cumprimentá-los e lançou os braços em volta de seus pescoços. Mas Kay, arrancando um tronco da pilha de lenha, colocou-o entre as mãos da mulher, que o apertou até que ele se tornasse uma corda retorcida.

– Ó mulher – disse Kay –, se você tivesse me apertado assim, ninguém mais poderia demonstrar seus sentimentos para mim. Que amor maléfico é esse!

Eles entraram na casa e, depois da refeição, ela contou que a donzela Olwen ia lá todos os sábados para se lavar. Eles juraram por sua fé que não a machucariam, e uma mensagem foi enviada a ela. Então Olwen veio, vestida com um manto de seda da cor do fogo e tendo ao redor do pescoço um colar de ouro vermelho, cravejado de rubis e esmeraldas. O cabelo dela era mais dourado que a flor de giesta, sua pele era mais branca do que a espuma da onda, e ela tinha mãos e dedos mais delicados do que as flores da anêmona em meio aos borrifos da fonte da campina. Seu olhar era mais brilhante do que o de um falcão; seu colo era mais alvo do que o peito do cisne branco, e as maçãs do rosto eram mais vermelhas do que as mais vermelhas rosas. Quem a via se apaixonava perdidamente por ela. Quatro trevos brancos surgiam onde ela pisava e, por esse motivo, ela foi chamada de Olwen.

Então Kilhuch, sentado ao lado dela em um banco, declarou seu amor, e ela disse que ele a conquistaria como sua noiva caso concedesse tudo o que o pai dela pedisse.

Assim, eles foram até o castelo, e Kilhuch apresentou seu pedido ao pai dela.

– Levantem com a forquilha minhas duas sobrancelhas que caíram sobre meus olhos – disse Yspathaden Penkawr – para que eu possa ver meu genro.

Eles o fizeram, e Yspathaden prometeu-lhes uma resposta no dia seguinte. Mas, quando eles estavam se aproximando, o homem agarrou um dos três dardos envenenados que tinha ao seu lado e o atirou na direção deles.

Bedwyr pegou o dardo no ar e o jogou de volta, ferindo Yspathaden no joelho. Então ele disse:

– É um genro verdadeiramente rude e abominável! De agora em diante andarei com dificuldade por causa de sua grosseria. Este ferro envenenado me dói como a picada de uma vespa. Malditos sejam o ferreiro que o forjou e a bigorna em que foi forjado.

Os cavaleiros descansaram na casa do pastor Custennin, mas no amanhecer do dia seguinte eles voltaram ao castelo e renovaram seu pedido. Yspathaden disse que era necessário consultar as quatro bisavós de Olwen e seus quatro bisavôs.

Os cavaleiros se retiraram novamente e, enquanto avançavam, ele pegou o segundo dardo e o lançou atrás deles.

Mas Menw o pegou e jogou de volta, perfurando o peito de Yspathaden, de modo que o dardo saiu pelas costas do homem.

– É um genro verdadeiramente rude e abominável! – esbravejou ele. – Este ferro me dói como a mordida de uma sanguessuga. Maldita a fornalha em que foi aquecido! Doravante, sempre que eu subir uma colina, terei a respiração escassa e uma dor no peito.

No terceiro dia, os cavaleiros voltaram mais uma vez ao palácio, e Yspathaden pegou o terceiro dardo e lançou-o contra eles. Mas Kilhuch o pegou e o arremessou com força, ferindo-o no olho, de modo que o dardo saiu pela nuca de Yspathaden. Então ele disse:

– É um genro verdadeiramente rude e abominável! Enquanto eu viver, minha visão será ruim. Sempre que eu estiver contra o vento, meus olhos lacrimejarão, e talvez minha cabeça queime de dor e eu tenha vertigem a cada lua nova. Maldito seja o fogo em que foi forjado. O golpe deste ferro envenenado é como a mordida de um cão raivoso.

E eles foram comer.

Yspathaden Penkawr perguntou:

– É você que procura a minha filha?

– Sim, sou eu – respondeu Kilhuch.

– Devo ter a sua promessa de que você não fará a mim nada que seja injusto, e, quando eu obtiver o que quero e que vou nomear agora, minha filha será sua.

– Eu lhe prometo de boa vontade – disse Kilhuch. – Peça o que quiser.

– Farei isso – respondeu ele. – Em todo o mundo não existe um pente ou tesoura com que eu possa arrumar meu cabelo, por causa de sua espessura, exceto o pente e a tesoura que estão entre as duas orelhas de Turch Truith, o filho do príncipe Tared. Ele não os dará por sua própria vontade, e você não poderá obrigá-lo.

– Será fácil para mim conseguir isso, embora você possa pensar que não.

– Embora você possa consegui-lo, ainda há algo que você não obterá. Não será possível caçar Turch Truith sem Drudwyn, o filhote de Greid, o filho de Eri, e saiba que em todo o mundo não há caçador capaz de caçar com esse cão, exceto Mabon, o filho de Modron. Ele foi tirado da mãe quando tinha três noites de idade, e não se sabe onde está agora, nem se está vivo ou morto.

– Será fácil para mim conseguir isso, embora você possa pensar que não.

– Embora você possa consegui-lo, ainda há algo que você não obterá. Você não obterá Mabon, pois não se sabe onde ele está, a menos que você encontre Eidoel, parente de sangue dele, o filho de Aer. Sem essa ajuda será inútil procurá-lo. Ele é primo dele.

– Será fácil para mim conseguir isso, embora você possa pensar que não. Terei cavalos e cavaleiros; e meu senhor e parente Arthur obterá para mim todas essas coisas. E eu ganharei sua filha, e você perderá a vida.

– Vá em frente. Você não será cobrado por comida nem roupas para minha filha enquanto procura cumprir essas tarefas; e, quando lograr todas essas maravilhas, terá minha filha por esposa.

Quando contaram a Arthur quais tinham sido as exigências feitas por Yspathaden, Arthur perguntou:

– Qual dessas maravilhas será melhor procurarmos primeiro?

– Será melhor procurar Mabon, o filho de Modron – responderam eles –, e ele não será encontrado a menos que primeiro encontremos Eidoel, o filho de Aer, parente dele.

Então Arthur se ergueu para procurar Eidoel, e os guerreiros das ilhas da Bretanha o acompanharam; e eles prosseguiram até chegar ao castelo de Glivi, onde Eidoel estava preso. Glivi se encontrava no topo de seu castelo e perguntou:

— Arthur, o que você quer de mim, já que nada me resta nesta fortaleza, e já não tenho nem trigo nem aveia, nem alegria nem prazer aqui?

— Não vim para feri-lo, mas para procurar o prisioneiro que você tem consigo — respondeu Arthur.

— Eu lhe darei meu prisioneiro, embora não tivesse pensando em entregá-lo a ninguém; e com isso você terá meu apoio e minha ajuda.

Seus seguidores então disseram a Arthur:

— Senhor, vá para casa, você não pode prosseguir com seu exército em demandas tão pequenas como estas.

— Foi bom que você, Gwrhyr Gwalstawt Ieithoedd, tenha nos acompanhado nesta busca, pois conhece todas as línguas e está familiarizado também com a linguagem dos pássaros e das feras. Vá, Eidoel, em companhia dos meus homens em busca de seu primo. E quanto a vocês, Kay e Bedwyr, tenho esperança de que, seja qual for a demanda que perseguem, obterão sucesso. Alcancem este objetivo por mim — disse Arthur.

Os cavaleiros seguiram adiante até que encontraram a corva Ousel de Cilgwri, e Gwrhyr suplicou a ela pelo bem do céu, dizendo:

— Diga-nos se você sabe algo de Mabon, o filho de Modron, que, para longe dos muros, foi levado de sua mãe quando tinha três noites de idade.

E Ousel respondeu:

— Quando vim aqui pela primeira vez, eu era um jovem pássaro e havia uma bigorna de ferreiro neste lugar. Desde então nenhum trabalho foi feito nela, exceto o bicar do meu bico todas as noites, e, agora o que resta daquela bigorna não é maior do que uma noz; mas que a vingança do céu venha sobre mim se durante todo esse tempo eu ouvi falar do homem por quem vocês perguntam. No entanto, há uma raça de animais que se formou antes de mim, e eu serei seu guia para chegar até eles.

Então eles foram ao local onde estava o cervo de Redynvre.

— Cervo de Redynvre, eis que viemos em nome de Arthur, pois não ouvimos falar de nenhum animal mais velho do que você. Diga, sabe alguma coisa de Mabon?

— Quando cheguei aqui, havia uma planície ao meu redor, sem nenhuma árvore, exceto uma muda de carvalho, que cresceu e se tornou um carvalho com cem ramos. O carvalho já pereceu, de modo que agora nada resta dele, exceto o tronco seco. Desde aquele dia estou aqui, mas nunca ouvi falar do homem por quem vocês estão perguntando. No entanto, eu os guiarei para o lugar onde há um animal que foi formado antes de mim – o cervo respondeu.

Então eles foram ao lugar onde estava a coruja de Cwm Cawlwyd, para perguntar a ela sobre Mabon. E a coruja falou:

– Se eu soubesse, contaria a vocês. Quando cheguei aqui pela primeira vez, o amplo vale que você vê era uma floresta. Uma raça de homens veio e arrancou todas as árvores, mas então ali cresceu uma segunda floresta, e esta floresta já é a terceira. Minhas asas não são tocos secos? No entanto, por todo esse tempo, até hoje, nunca ouvi falar do homem por quem vocês estão perguntando. No entanto, eu serei seu guia em nome de Arthur até que vocês cheguem ao lugar onde está o animal mais antigo deste mundo, e aquele que mais viajou, a águia de Gwern Abwy.

Quando chegaram à águia, Gwrhyr fez a mesma pergunta; e ela respondeu:

– Estou aqui há uma enormidade de tempo e, quando cheguei, havia uma pedra, em cujo topo eu bicava as estrelas todas as noites, e agora ela não é mais que uma pequena saliência. Desde aquele dia até hoje estou aqui e nunca ouvi falar do homem por quem vocês estão perguntando, exceto uma vez, quando fui em busca de comida até Llyn Llyw. Quando cheguei lá, pus minhas garras em um salmão, pensando que ele me serviria de comida por muito tempo. Mas ele me puxou para as profundezas das águas e mal consegui escapar. Depois disso, voltei com toda a minha família para atacá-lo e tentar destruí-lo, mas ele enviou mensageiros e fez as pazes comigo, e veio me implorar para tirar cinquenta arpões de suas costas. Se ele não souber algo sobre aquele que vocês procuram, não sei dizer quem poderá saber. No entanto, vou guiá-los até o lugar onde ele está.

Então eles foram para lá, e a águia chamou:

– Salmão de Llyn Llyw, vim até você em nome de Arthur para perguntar se sabe alguma coisa sobre Mabon, o filho de Modron, que foi levado de sua mãe para longe dos muros com três noites de idade.

E o salmão respondeu:

– Contarei tudo o que sei. A cada maré, subo a cabeceira do rio até chegar perto das muralhas de Gloucester, e aí vi algo errado como nunca vi em outro lugar; e, para que vocês possam acreditar em mim, que um de vocês suba em cada lado do meu dorso.

Kay e Gwrhyr puseram-se sobre o dorso do salmão e prosseguiram até chegar aos muros da prisão, onde ouviram lamúrias e lamentos vindos da masmorra. Gwrhyr perguntou:

– Quem é que lamenta nesta casa de pedra?

E a voz respondeu:

– Ai, é Mabon, o filho de Modron, que está preso aqui!

Então eles voltaram e contaram isso a Arthur, que, convocando seus guerreiros, atacou o castelo.

Enquanto a luta prosseguia, Kay e Bedwyr, montados novamente no dorso do peixe, invadiram a masmorra e trouxeram consigo Mabon, o filho de Modron.

Então Arthur convocou todos os guerreiros que estavam nas três ilhas da Bretanha e nas três ilhas adjacentes; e ele foi até Esgeir Ocrvel na Irlanda, onde vivia o javali Truith com seus sete leitões. E os cães o atacaram de todos os lados, mas ele fugiu, destruindo um quinto da Irlanda, e depois partiu pelo mar para o País de Gales. Arthur e suas hostes, seus cavalos e cães o perseguiram assiduamente. Mas, de vez em quando, o javali resistia e matava vários dos campeões de Arthur. Por todo o País de Gales Arthur o seguiu e, um a um, os leitões foram mortos. Finalmente, quando o javali tentava cruzar o Severn e escapar para a Cornualha, Mabon, o filho de Modron, foi até ele, e Arthur investiu contra ele com os guerreiros da Bretanha. De um lado, Mabon, o filho de Modron, esporeou seu corcel e pegou a navalha dele, enquanto Kay veio do outro lado e retirou dele a tesoura. Porém, antes que pudessem obter o pente, o javali ganhou vantagem com suas fortes patas e, a partir do momento em que atingiu a costa, nem cão, nem homem, nem cavalo puderam alcançá-lo até que ele chegou à Cornualha. Lá, Arthur e seus homens seguiram sua trilha até alcançá--lo. Persegui-lo havia dado muito trabalho, mas agora era brincadeira de criança tomar-lhe o pente. Eles o tomaram, e a caçada levou o javali Truith a correr para o mar profundo, e nunca se soube para onde ele foi.

Então Kilhuch avançou, assim como os outros que desejavam mal a Yspathaden Penkawr, e eles levaram as maravilhas consigo para sua corte. E Kaw, da Grã-Bretanha do Norte, usou a navalha para raspar a barba, a pele e a carne de Yspathaden Penkawr até os ossos, de orelha a orelha.

– Está barbeado agora? – perguntou Kilhuch.

– Estou barbeado – respondeu ele.

– Sua filha é minha agora?

– Ela é sua, mas não precisa me agradecer; agradeça a Arthur, que fez isto por você. De minha vontade, você jamais a teria, pois com isto eu perco minha vida.

Então Goreu, o filho de Custennin, agarrou-o pelos cabelos e arrastou-o para a prisão, cortou sua cabeça e exibiu-a na ponta de uma estaca na cidadela. Depois disso, as hostes de Arthur se dispersaram, cada homem rumou para seu próprio país. Foi assim que Kilhuch, filho de Kelython, ganhou Olwen, filha de Yspathaden Penkawr, como esposa.

Jack e seus companheiros

Era uma vez uma viúva pobre, como às vezes acontece, e ela tinha um filho. A colheita naquele verão tinha sido muito fraca, e eles não sabiam como sobreviveriam até que as batatas recém-plantadas estivessem prontas para comer. Então, uma noite, Jack disse a sua mãe:

– Mãe, faça-me um bolo e mate a galinha, eu vou sair em busca de minha sorte; se eu a encontrar, não se preocupe, logo estarei de volta para compartilhá-la com você.

Então ela fez o que o filho pediu, e ele partiu para sua jornada ao raiar do dia. Sua mãe o acompanhou até o portão do quintal e perguntou:

– Jack, o que você prefere: metade do bolo e metade da galinha com minha bênção ou tudo com minha maldição?

– Caramba, mãe – disse Jack –, por que me faz essa pergunta? Com certeza você sabe que eu não quereria a sua maldição nem que ela recaísse sobre a propriedade.

– Bem, então, Jack – disse ela –, aqui está tudo o que você pediu com minhas mil bênçãos.

Então ela ficou na cerca do quintal e o abençoou enquanto seus olhos podiam vê-lo. Bem, ele caminhou e caminhou até ficar cansado, e nenhuma casa de fazendeiro que ele encontrou queria empregar um jovem auxiliar.

Por fim, a estrada o conduziu até perto de um pântano, e ali havia um pobre asno encalhado até os ombros, tentando alcançar uma moita de grama.

– Oh, Jack, minha sorte – disse o animal –, ajude-me ou morrerei afogado.

– Não precisa pedir duas vezes – disse Jack, e ele arranjou grandes pedras e as enterrou na lama, até que o asno tivesse algo firme para se apoiar.

– Obrigado, Jack – disse ele, quando se viu novamente em solo seguro. – Eu farei o mesmo por você quando precisar. Para onde está indo?

– Céus, estou tentando minha sorte até que a colheita chegue, que Deus me ajude!

– Se quiser, eu vou com você – propôs o asno. – Quem sabe encontraremos a sorte!

– Aceito de bom grado. Está ficando tarde, vamos correr.

Enquanto passavam por uma aldeia, um tropel de garotos estava caçando um pobre cachorro com uma chaleira amarrada no rabo. O cão correu até Jack em busca de proteção, e o asno soltou um rugido tão forte que os meninos saíram correndo como medo de que ele fosse persegui-los.

– Mais poder para você, Jack – disse o cão. – Agradeço-lhe muito. Para onde vão você e a besta?

– Vamos procurar nossa sorte até que a colheita chegue.

– Eu ficaria muito orgulhoso de ir com vocês – disse o cão –, e assim me livrar desses meninos mal-educados que me perseguem.

– Bem, bem, jogue sua cauda sobre as patas e nos acompanhe.

Eles saíram da cidade e se sentaram encostados em um velho muro, e Jack pegou o pão e a carne que trouxera e dividiu com o cão, enquanto o asno jantava uma moita de cardos. Enquanto comiam e conversavam, apareceu um pobre gato faminto, e o miado que ele soltou foi de partir o coração.

– Você parece ter visto o topo de nove casas desde o café da manhã – disse Jack. – Aqui está um osso com um pouco de carne.

– Que seus filhos nunca tenham uma barriga faminta! – exclamou Tom. – Mas sou eu que preciso da sua gentileza... Posso ter a ousadia de perguntar para onde vocês vão?

– Estamos à procura de nossa sorte até que a colheita chegue, e você pode se juntar a nós se quiser.

– Farei isso com mais do que bom grado – disse o gato –, e obrigado por me convidar.

Eles partiram de novo e, quando as sombras das árvores eram três vezes maiores, ouviram um cacarejo alto na estrada, e para fora da vala saltou uma raposa com um belo galo preto na boca.

– Oh, seu grande vilão! – gritou o asno, rugindo como um trovão.

– Pegue-o, cão! – Jack comandou e não parou de gritar enquanto o cão corria atrás da raposa vermelha.

Reynard largou seu prêmio como uma batata quente e disparou como um tiro, e o pobre galo aproximou-se, trêmulo e agitado, de Jack e seus companheiros.

– Oh, meus vizinhos! – falou ele. – Foi a maior sorte vocês terem cruzado meu caminho! Talvez eu não me lembre de sua bondade se algum dia os encontrar em dificuldades; mas para onde no mundo vocês estão indo?

– Estamos procurando nossa sorte até que a colheita chegue; você pode se juntar ao nosso grupo, se quiser, e sentar no dorso de Neddy quando suas pernas e asas estiverem cansadas.

Bem, a marcha recomeçou, e, assim que o sol se pôs, eles olharam ao redor, e não havia cabana nem casa de fazenda à vista.

– Muito bem – disse Jack –, quanto pior a sorte agora, melhor ela será em outra hora; ainda bem que é uma noite de verão. Vamos para a floresta, onde faremos nossa cama na grama alta.

Dito e feito. Jack se esticou em um monte de grama seca, o asno deitou perto dele, o cão e o gato deitaram no colo quente do asno, e o galo foi se empoleirar numa árvore próxima. Estavam todos em um sono profundo, quando o galo começou a cacarejar.

– O que foi, Galo Preto? – perguntou o asno. – Você me interrompeu enquanto mastigava o mais belo pedaço de feno que já provei. O que houve?

– Está amanhecendo. Não está vendo aquela luz ali?

– De fato, vejo uma luz – disse Jack. – Mas é de uma vela vindo em nossa direção, não do sol. Como você nos despertou, podemos ir até lá pedir abrigo.

Então todos eles se sacudiram e seguiram em meio à relva, às pedras e aos espinheiros, até que encontraram um vale, e havia luz vindo através das sombras, e com ela ouviam-se os sons de cantos, risos e impropérios.

– Calma, rapazes! – ordenou Jack. – Andem na ponta das patas até vermos com que tipo de pessoas vamos ter que lidar.

Então eles se esgueiraram para perto da janela da casa e lá dentro viram seis ladrões com pistolas, bacamartes e cutelos, sentados à mesa, comendo rosbife e carne de porco, e bebendo cerveja quente, vinho e ponche de uísque.

– Que bela pilhagem fizemos na casa do senhor de Dunlavin! – exclamou um ladrão feioso, de boca cheia. – E foi pouco que conseguimos pela desonestidade do porteiro! Um brinde à saúde dele!

– À saúde do porteiro! – gritou cada um deles.

Jack apontou o dedo para seus companheiros.

– Cerrem as fileiras, meus homens – disse ele em um sussurro. – Aguardem minha palavra de comando.

Então o asno pôs os cascos dianteiros no peitoril da janela, o cão subiu na cabeça do asno, o gato na cabeça do cão e o galo na cabeça do gato. Então Jack fez um sinal, e todos guincharam como loucos.

– *Hi-hoo, hi-hoo!* – zurrou o asno.

– *Au-au!* – latiu o cachorro.

– *Miau-miau!* – miou o gato.

– *Cocoricóó!* – cantou o galo.

– Saquem as pistolas – gritou Jack – e façam pedacinhos deles. Não deixem nenhum filho da mãe vivo; atenção, fogo!

Com isso, soltaram altos brados e quebraram todas as vidraças da janela. Os ladrões se assustaram tremendamente. Eles apagaram as velas, jogaram a mesa no chão e saíram correndo como loucos pela porta dos fundos como se estivessem francamente apavorados, e não pararam em nenhum momento antes de chegarem ao coração da floresta.

Jack e seus companheiros entraram na sala, fecharam as venezianas, acenderam as velas e comeram e beberam até acabar com a fome e a sede. Depois deitaram-se para descansar: Jack na cama, o asno no estábulo, o cão no tapete da porta, o gato perto do fogo e o galo no poleiro.

A princípio, os ladrões ficaram muito contentes por se encontrarem seguros na floresta densa, mas logo começaram a se irritar.

– Esta grama úmida é muito diferente da nossa sala aconchegante – reclamou um deles.

– Fui obrigado a largar um belo pé de porco – disse outro.

– Não bebi nem uma gota do meu último copo – falou outro.

– E deixamos para trás todo o ouro e prata do senhor de Dunlavin! – esbravejou o último.

– Acho que vou me aventurar a voltar – disse o chefe – e ver se podemos recuperar alguma coisa.

– Esse é um bom rapaz! – exclamaram todos em apoio, e ele foi embora.

As luzes estavam apagadas, então ele tateou seu caminho até o fogo, e lá o gato pulou em seu rosto e o rasgou com dentes e garras. Ele soltou um rugido de dor e foi até a porta do quarto, para procurar uma vela lá dentro. Pisou no rabo do cão e, como não é de se espantar, ganhou marcas de dentes nos braços, pernas e coxas.

– Com mil raios! – gritou ele. – Queria estar longe desta casa azarada.

Quando ele chegou à porta da rua, o galo caiu sobre ele com suas garras e bico, e o que o gato e o cachorro fizeram com ele foi apenas uma picadinha de mosquito em comparação com o que fez o galo.

– Ah, vão para o quinto dos infernos, seus patifes insensíveis! – praguejou o ladrão, quando recuperou o fôlego. Ele cambaleou e girou e girou mais um pouco cambaleando para dentro do estábulo, tentando fugir, mas o asno o acertou com um coice na parte mais larga de seu traseiro, e ele caiu confortavelmente na montanha de esterco.

Quando voltou a si, ele coçou a cabeça e começou a pensar no que havia acontecido; e, assim que percebeu que suas pernas ainda eram capazes de carregá-lo, ele rastejou para longe, arrastando um pé após o outro, até chegar à floresta.

– Muito bem – gritou o bando de ladrões, quando ele se aproximou –, alguma chance de reavermos as coisas?

– Vocês podem achar que existe uma chance – respondeu ele –, mas vai ser a pior chance possível. Ah, algum de vocês pode fazer uma cama de grama seca para mim? Todo o esparadrapo de Enniscorthy não será suficiente para os cortes e hematomas que tenho em mim. Ah, se vocês soubessem o que passei por vocês! Quando fui até o fogareiro na cozinha, procurando um pouco de carvão aceso, veio o que devia ser uma velha cardando linho, e vocês podem ver as marcas que ela deixou no meu rosto com a carda. Fui até a porta do quarto o mais rápido que pude, e em quem tropecei senão em um sapateiro e seu banco, e, se ele não usou em mim seus furadores e suas pinças, vocês podem me chamar de mentiroso. Bem, de algum jeito eu me afastei dele, mas, quando estava passando pela porta, deve ter sido o próprio demônio que se lançou sobre mim com suas asas, garras e dentes, que eram iguais a pregos de cinco centímetros; péssima sorte cruzar o caminho dele! Bem, finalmente cheguei ao estábulo e lá, a título de saudação, ganhei uma marretada que me lançou a oitocentos metros de distância. Se não acreditam em mim, dou-lhes licença para ir e julgar por si mesmos.

– Oh, meu pobre chefe – disseram eles –, acreditamos em cada palavra. Foi mesmo uma falta de sorte termos invadido aquela cabana!

Antes que o sol sacudisse seu gibão na manhã seguinte, Jack e seus companheiros já estavam de pé. Eles fizeram um farto desjejum com toda a comida que restara da noite anterior, e então todos concordaram em partir para o castelo do senhor de Dunlavin e devolver-lhe todo o seu ouro e prata. Jack colocou tudo dentro de um saco e o prendeu nas costas de Neddy, e todos seguiram a estrada próxima. Caminharam através de pântanos, colinas, vales, e às vezes ao longo da estrada de terra, até que chegaram à porta do vestíbulo do senhor de Dunlavin. E quem estava lá, arejando sua cabeça empoada, suas meias brancas e seus calções vermelhos, senão o porteiro ladrão?

Ele lançou um olhar zangado para os visitantes e disse a Jack:

– O que você quer aqui, meu bom amigo? Não há espaço para todos vocês.

– Queremos o que tenho certeza de que você não tem para nos dar – respondeu Jack – isto é, um pouco de civilidade.

– Vão, caiam fora, seus andarilhos preguiçosos! – ordenou ele. – Vão antes que a gata termine de lamber a orelha, ou deixarei os cães atacar vocês.

– Pode me contar quem foi que abriu a porta para os ladrões na noite passada? – perguntou o galo, que estava empoleirado na cabeça do asno.

Ah! talvez o rosto vermelho do porteiro tenha ficado da cor de seu colarinho de babados, e o senhor de Dunlavin e sua linda filha, que estavam de pé na janela da sala sem que o porteiro soubesse, esticaram as cabeças.

– Eu ficaria feliz, Barney – disse o senhor –, em ouvir sua resposta ao cavalheiro de crista vermelha.

– Ah, meu senhor, não acredite no patife; claro que não abri a porta para os seis ladrões.

– E como você sabia que eram seis, seu pobre inocente? – perguntou o senhor.

– Não se preocupe, senhor – disse Jack –, todo o seu ouro e prata estão naquele saco, e não acho que o senhor vai nos negar um jantar e uma cama depois de nossa longa jornada desde o bosque de Athsalach.

– Não negarei, de fato! Nenhum de vocês jamais terá um dia ruim se eu puder evitar.

Assim, todos foram recebidos com alegria, e o asno, o cachorro e o galo conquistaram os melhores lugares da fazenda, enquanto o gato se apoderou da cozinha. O senhor cuidou de Jack, vestiu-o da cabeça aos pés com sapatos e roupas de casimira com babados tão brancos quanto a neve e colocou um relógio em seu berloque. Quando se sentaram para jantar, a dona da casa disse que Jack tinha o ar de um cavalheiro nato, e o senhor declarou que o nomearia seu camareiro. Jack foi buscar sua mãe e acomodou-a confortavelmente perto do castelo, e todos ficaram tão felizes quanto você pode desejar.

Shee an Gannon e Gruagach Gaire

Shee an Gannon nasceu de manhã, recebeu seu nome ao meio-dia e à noite foi pedir a filha do rei de Erin em casamento.

– Eu lhe darei minha filha em casamento – disse o rei de Erin –, no entanto não conseguirá ganhá-la, a menos que parta e volte trazendo as notícias que eu quero, e me diga o que foi que fez cessar as risadas do Gruagach Gaire, que antes sempre ria, e ria tão alto que o mundo inteiro o ouvia. Há doze estacas de ferro aqui no jardim atrás do meu castelo. Em onze delas está a cabeça dos filhos de reis que vieram pedir minha filha em casamento, e todos eles tentaram descobrir o que eu queria. Ninguém foi capaz de descobrir e me contar o que impediu o Gruagach Gaire de rir. Cortei a cabeça de todos eles quando voltaram sem a notícia, e deveras temo que sua cabeça esteja destinada à décima segunda estaca, pois farei com você o mesmo que fiz com os onze filhos dos reis, a menos que me diga o que pôs fim ao riso do Gruagach.

Shee an Gannon não falou nada, deixou o rei e partiu para saber se conseguiria descobrir por que Gruagach estava em silêncio.

Ele subiu um vale em um passo, uma colina em um salto e viajou do raiar do dia até a noite. Então ele chegou a uma casa. O dono da casa perguntou-lhe o que ele queria por ali, e ele respondeu:

– Sou um jovem à procura de trabalho.

– Bem – disse o dono da casa –, eu ia amanhã procurar alguém para cuidar de minhas vacas. Se você trabalhar para mim, terá um bom lugar para morar, a melhor comida que um homem poderia comer neste mundo e uma cama macia para se deitar.

Shee an Gannon aceitou o serviço e comeu seu jantar. Então o dono da casa disse:

– Eu sou o Gruagach Gaire; agora que você é meu empregado e já jantou, terá uma cama de seda para dormir.

Na manhã seguinte, após o café da manhã, o Gruagach disse para Shee an Gannon:

– Vá agora e solte minhas cinco vacas douradas e meu touro sem chifres e leve-os para o pasto. Mas, quando eles estiverem pastando, tome cuidado, não os deixe chegar perto da terra do gigante.

O novo vaqueiro conduziu o gado para o pasto e, quando se aproximou da terra do gigante, viu que ela estava coberta de mata e cercada por um muro alto. Ele foi até lá, colocou as costas contra o muro e passou uma boa parte do corpo para dentro do terreno; então ele entrou e colocou as cinco vacas douradas e o touro sem chifres na terra do gigante.

Ele subiu em uma árvore, comeu as maçãs doces e jogou as azedas para o gado de Gruagach Gaire. Logo, um grande estrondo foi ouvido na floresta; era o barulho de árvores jovens curvando-se e velhas árvores quebrando. O vaqueiro olhou em volta e viu um gigante de cinco cabeças passar entre as árvores; e em pouco tempo estava diante dele.

– Pobre criatura! – exclamou o gigante. – Não é que teve o atrevimento de vir à minha terra me incomodar dessa maneira? Você é grande demais para uma só mordida e pequeno demais para duas; não sei o que fazer a não ser despedaçá-lo.

– Seu bruto asqueroso – disse o vaqueiro, descendo da árvore. – Pouco me importo com você! – E então eles partiram para cima um do outro.

Tão grande era o barulho que não havia nada no mundo além do que se via e ouvia naquela briga.

Eles lutaram até o final da tarde, quando o gigante estava levando a melhor; e então o vaqueiro pensou que, se o gigante o matasse, seu pai e sua mãe nunca o encontrariam nem o veriam novamente, e ele nunca ganharia a filha do rei de Erin. Seu coração pulsou mais forte com esse pensamento. Ele saltou sobre o gigante e, com a primeira estocada, ele o colocou de joelhos no chão duro; com o segundo golpe, o gigante foi ao chão até a cintura; e, no terceiro, ele caiu.

– Finalmente o rendi; está acabado! – exclamou o vaqueiro.

Então ele pegou sua faca, cortou as cinco cabeças do gigante e, depois que as tirou, cortou as línguas e jogou as cabeças por cima do muro. Depois ele colocou as línguas no bolso e levou o gado para casa. Naquela noite, Gruagach não conseguiu encontrar vasilhas suficientes em sua casa para armazenar o leite das cinco vacas douradas.

Entretanto, quando o vaqueiro estava voltando para casa com o gado, o filho do rei de Tisean veio, pegou as cabeças do gigante e reivindicou casar-se com a princesa tão logo Gruagach Gaire voltasse a rir.

Depois do jantar, o vaqueiro não quis falar com o patrão, manteve os pensamentos para si e foi dormir na cama de seda. Na manhã seguinte, levantou-se diante de seu mestre e, sem rodeios, perguntou a Gruagach:

– O que o impede de rir, você que ria tanto que o mundo inteiro o ouvia?

– Sinto muito em saber que a filha do rei de Erin o tenha enviado aqui – disse Gruagach.

– Se você não me contar por vontade própria, farei com que me conte – disse o vaqueiro; e ele ostentou uma expressão terrível em seu olhar e, correndo pela casa como um louco, tentou encontrar algo que pudesse causar dor suficiente a Gruagach, mas só achou algumas cordas de pele de carneiro não curtidas penduradas na parede.

Ele as pegou, deteve Gruagach, prendeu-o pelas ceroulas e amarrou-o de forma que seus dedinhos do pé estivessem fazendo cócegas nas orelhas. Quando estava nessa posição, Gruagach pediu:

– Vou lhe dizer o que me fez parar de rir se você me libertar.

Então o vaqueiro o desamarrou, os dois se sentaram juntos, e Gruagach disse:

– Eu morava neste castelo com meus doze filhos. Comíamos, bebíamos, jogávamos cartas e nos divertíamos, até que um dia, quando meus filhos e eu estávamos jogando, uma delgada lebre castanha entrou correndo, saltou para a lareira, espalhou as cinzas nos esteios e fugiu. Ela voltou no outro dia; mas nós estávamos atentos, meus doze filhos e eu. Assim que ela espalhou as cinzas e saiu correndo, nós a perseguimos até o anoitecer, quando ela se embrenhou em um vale. Vimos uma luz diante de nós. Continuei correndo e cheguei a uma casa que tinha uma grande sala. Ali havia um homem chamado Face Amarela com suas doze filhas, e a lebre estava presa no canto do quarto, perto das mulheres.

"Havia uma enorme panela sobre o fogo na sala, onde uma grande cegonha estava sendo cozida. O homem da casa me disse: 'Há fardos de junco na extremidade da sala. Vá lá e sente-se com seus filhos!' Ele foi para a sala ao lado dali e trouxe duas lanças, uma de madeira, a outra de ferro, e me perguntou qual das lanças eu pegaria. Eu disse 'Vou ficar com a de ferro', pois pensei que, no caso de um ataque, eu poderia me defender melhor com a lança de ferro do que com a de madeira.

"Face Amarela me deu a lança de ferro e a primeira oportunidade de usá-la para tirar o que eu quisesse do pote. Peguei apenas um pequeno pedaço da cegonha, enquanto o homem da casa pegou todo o resto com sua lança de madeira. Tivemos que jejuar naquela noite; e, quando o homem e suas doze filhas comeram a carne da cegonha, atiraram os ossos na cara de meus filhos e na minha. Tivemos que passar a noite toda assim, com nossos rostos feridos pelos ossos da cegonha.

"Na manhã seguinte, quando estávamos indo embora, o dono da casa me pediu para ficar mais um pouco; ele foi para a sala ao lado e trouxe doze argolas de ferro e uma de madeira, e me disse: 'Ponha a cabeça de seus doze filhos nas argolas de ferro, ou sua própria cabeça na de madeira'; e eu respondi: 'Vou colocar a cabeça de meus doze filhos nas argolas de ferro e manter a minha fora da argola de madeira'.

"Ele colocou as argolas de ferro no pescoço dos meus doze filhos e a de madeira em seu próprio pescoço. Então ele amassou as argolas uma após a outra, até que arrancou a cabeça dos meus doze filhos e as jogou com os corpos para fora de casa; mas ele não fez nada para machucar o próprio pescoço.

"Quando matou meus filhos, ele me segurou e arrancou a pele e a carne das minhas costas, depois tirou a pele de uma ovelha negra que estava pendurada na parede por sete anos e a vestiu no meu corpo no lugar da minha própria pele; e a pele da ovelha cresceu em mim, e todos os anos desde então eu me tosquio, e cada pedaço de lã que uso em minhas meias, corto das minhas próprias costas."

Ao dizer isso, o Gruagach mostrou ao vaqueiro as costas cobertas por uma grossa lã negra.

Depois do que tinha visto e ouvido, o vaqueiro disse:

– Agora sei por que você não ri, e entendo que não há motivos para rir. Mas essa lebre ainda vem aqui?

– Ela vem, sim – disse Gruagach.

Os dois foram para a mesa para jogar cartas e não demorou muito para que a lebre aparecesse; antes que pudessem impedi-la, ela saiu novamente. O vaqueiro então foi atrás da lebre, e Gruagach foi atrás do vaqueiro; até o anoitecer, eles correram o mais rápido que suas pernas conseguiam; e, quando a lebre estava entrando no castelo onde os doze filhos de Gruagach tinham sido mortos, o vaqueiro a pegou pelas duas patas traseiras e arrebentou a cabeça dela contra a parede; o crânio da lebre foi jogado na sala principal do castelo e caiu aos pés do senhor daquele lugar.

– Quem se atreve a machucar meu animal de estimação? – gritou Face Amarela.

– Eu – disse o vaqueiro. – E, se o seu animal de estimação tivesse boas maneiras, estaria vivo agora.

O vaqueiro e Gruagach estavam perto do fogo. Uma cegonha cozinhava na panela, como quando Gruagach viera àquele castelo pela primeira vez. O dono da casa foi até a sala ao lado, pegou uma lança de ferro e uma de madeira e perguntou ao vaqueiro qual ele escolheria.

– Fico com a de madeira – disse o vaqueiro –, e você pode ficar com a de ferro.

Então o vaqueiro pegou a de madeira; e, indo para a panela, trouxe na ponta da lança toda a cegonha, exceto um pequeno bocado; ele e Gruagach começaram a comer, e assim comeram a carne da cegonha a noite toda. Dessa vez, o vaqueiro e Gruagach se sentiram em casa.

De manhã, o dono da casa foi ao cômodo adjacente pegar as doze argolas de ferro e uma de madeira e perguntou ao vaqueiro qual ele escolheria.

– O que eu ou meu mestre poderíamos fazer com as doze argolas de ferro? Vou pegar a de madeira.

Ele a vestiu no pescoço e, pegando as doze argolas de ferro, colocou-as no pescoço das doze filhas da casa, então as esmagou e arrancou a cabeça delas. Voltando-se para o pai das moças, disse:

– Farei a mesma coisa com você, a menos que devolva a vida aos doze filhos do meu mestre e os torne tão saudáveis e fortes quanto estavam quando você lhes decepou a cabeça.

O dono da casa saiu e trouxe os doze homens à vida novamente; e, quando Gruagach viu todos os seus filhos vivos e bem, soltou uma gargalhada que foi ouvida por todo o Oeste.

Então o vaqueiro disse a Gruagach:

– É uma coisa ruim o que você fez para mim, pois a filha do rei de Erin se casará um dia depois que sua risada for ouvida.

– Oh! Então devemos chegar a tempo – falou Gruagach; e o vaqueiro, Gruagach e seus doze filhos saíram daquele lugar o mais rápido possível.

Eles se apressaram; e, quando chegaram a menos de cinco quilômetros do castelo do rei, havia tamanha multidão que ninguém conseguia dar um passo à frente.

– Precisamos abrir um caminho através dessa multidão – disse o vaqueiro.

– Sim, precisamos – disse Gruagach. E foi o que ele e os filhos fizeram: afastaram as pessoas de um lado e de outro, de modo a logo abrir um caminho livre até o castelo do rei.

Quando entraram, a filha do rei de Erin e o filho do rei de Tisean estavam de joelhos prestes a se casar. O vaqueiro foi até o noivo e lhe deu um golpe que o fez girar até ir parar embaixo de uma mesa do outro lado do salão.

– Quem foi o canalha que desferiu esse golpe? – perguntou o rei de Erin.

– Fui eu – apresentou-se o vaqueiro.

– Que motivo você teve para golpear o homem que conquistou minha filha?

– Fui eu quem conquistou sua filha, não ele; e, se você não acredita em mim, Gruagach Gaire está aqui. Ele vai lhe contar toda a história do começo ao fim e mostrar a você as cinco línguas do gigante.

Então Gruagach se aproximou e contou ao rei toda a história, como Shee an Gannon se tornou seu vaqueiro, cuidou das cinco vacas douradas e do touro sem chifres, cortou as cabeças do gigante de cinco cabeças, matou a lebre-bruxa e trouxe seus doze filhos de volta à vida.

– Por isso – disse Gruagach –, ele é o único homem em todo o mundo a quem já contei por que parei de rir, e o único que viu minha lã de carneiro.

Quando o rei de Erin ouviu o que Gruagach disse e viu as línguas do gigante encaixadas nas cabeças, ele fez Shee an Gannon se ajoelhar ao lado de sua filha, e eles se casaram ali mesmo.

Então o filho do rei de Tisean foi levado à prisão; no dia seguinte, eles acenderam uma grande fogueira, e o impostor foi reduzido a cinzas.

Os festejos do casamento duraram nove dias, e o último dia foi melhor do que o primeiro.

O contador de histórias em apuros

Na época em que os Tuatha Dé Danann[6] eram os soberanos da Irlanda, reinava em Leinster um rei que gostava muito de ouvir histórias. Como os outros príncipes e chefes da ilha, ele tinha um contador de histórias favorito, a quem Sua Majestade concedera a posse de uma grande propriedade com a condição de que ele lhe contasse uma nova história antes de dormir todas as noites, por toda a sua vida. De fato, ele conhecia muitas histórias, pois já havia ficado velho sem falhar nem por uma única noite em sua tarefa; e tal era sua habilidade que, quaisquer que fossem as preocupações de Estado ou outros aborrecimentos que pudessem ocupar a mente do monarca, seu contador de histórias certamente o faria dormir.

Certa manhã, o contador de histórias levantou-se cedo e, como era seu costume, saiu para o jardim revirando em sua mente incidentes com os quais ele poderia tecer uma história para o rei à noite. Mas nessa manhã ele falhou; depois de percorrer todas as suas terras, voltou para casa sem

---

[6] Trata-se de uma raça sobrenatural de deuses da mitologia irlandesa, muitas vezes referidos como reis, rainhas e heróis de um passado distante e detentores de poderes sobrenaturais. O nome Tuatha Dé Danann significa "o povo da deusa Danu". (N.T.)

ser capaz de pensar em nada de novo ou estranho. Ele não encontrou dificuldade em formular a parte que dizia "era uma vez um rei que teve três filhos" ou "um dia o rei de toda a Irlanda", mas não conseguia ir além disso. Por fim, ele entrou para tomar o café da manhã e encontrou sua esposa muito perplexa com sua demora.

– Por que não vem tomar o café da manhã, querido? – perguntou ela.

– Não tenho vontade de comer nada – respondeu o contador de histórias. – Desde que estou a serviço do rei de Leinster, nunca me sentei para tomar café da manhã sem ter uma nova história pronta para contar à noite, mas esta manhã minha mente está completamente vazia, e eu não sei o que fazer. Eu poderia muito bem me deitar e morrer logo de uma vez. Esta noite, quando o rei chamar seu contador de histórias, cairei em desgraça.

Nesse exato momento, a esposa olhou pela janela.

– Está vendo aquele vulto preto no final do campo? – perguntou ela.

– Sim – respondeu o marido.

Eles se aproximaram e viram um velho de aparência miserável caído no chão, com uma perna de pau ao lado dele.

– Quem é você, meu bom homem? – perguntou o contador de histórias.

– Oh, não importa quem eu sou. Sou só uma criatura pobre, velha, coxa, decrépita e miserável sentada aqui para descansar um pouco.

– E o que você está fazendo com a caixa e os dados que vejo em sua mão?

– Estou esperando aqui para ver se alguém quer jogar comigo – respondeu o pobre homem.

– Para que jogue com você?! E o que um velho pobre como você tem para apostar?

– Tenho cem moedas de ouro nesta bolsa de couro – respondeu o velho.

– Você pode muito bem jogar com ele – disse a esposa do contador de histórias – e talvez, assim, você tenha algo para contar ao rei à noite.

Uma pedra plana foi colocada entre eles e sobre ela lançaram os dados. Passou-se pouco tempo e o contador de histórias perdeu cada centavo de seu dinheiro.

– Aproveite bem, amigo – disse o contador de histórias. – Quanto a mim, poderia procurar uma sorte melhor, tolo que sou!

– Você vai jogar de novo? – perguntou o homem.

– Não me peça isso, homem, você está com todo o meu dinheiro!

– Você não tem uma carruagem e cavalos e cães? Bem, que tal apostá-los? Vou apostar todo o dinheiro que tenho contra o seu.

– Bobagem, homem! Você acha que, com todo o dinheiro da Irlanda, eu correria o risco de ver minha senhora vagando para casa a pé?

– Talvez você ganhe – disse o coxo andarilho.

– Talvez não – replicou o contador de histórias.

– Jogue com ele, marido – pediu a esposa. – Se você fizer isso, amor, eu não me importarei de caminhar.

– Nunca neguei nada a você – disse o contador de histórias – e não negarei agora.

Sentou-se de novo no chão e, de uma só vez, perdeu casas, cães e carruagem.

– Você vai jogar de novo? – perguntou o mendigo.

– Você está brincando comigo, homem; o que mais eu tenho para apostar?

– Vou apostar todos os meus ganhos contra sua esposa – disse o velho.

O contador de histórias deu-lhe as costas em silêncio, mas a esposa o impediu.

– Aceite a oferta dele – pediu ela. – Esta é a terceira vez, e quem sabe a sorte agora ficará com você? Aceite, certamente vai ganhar.

Eles jogaram de novo, e o contador de histórias perdeu. Assim que isso aconteceu, para sua triste surpresa, a esposa prontamente foi sentar-se perto do velho e feio mendigo.

– É assim que você está me deixando? – perguntou o contador de histórias.

– Claro que sim, você me perdeu no jogo – respondeu ela. – Você não enganaria o pobre homem, não é?

– Você tem mais para apostar? – perguntou o velho.

– Sabe muito bem que não – respondeu o contador de histórias.

– Vou apostar tudo agora, esposa e todo dinheiro que ganhei, contra você mesmo – disse o velho.

Novamente eles jogaram, e novamente o contador de histórias perdeu.

– Então? Aqui estou, e o que você quer comigo?

– Em breve o avisarei – disse o velho, e tirou do bolso um fio comprido e uma varinha.

– Agora – disse ele ao contador de histórias – que tipo de animal você prefere ser: um cervo, uma raposa ou uma lebre? Pode escolher agora, mas não poderá mais tarde.

Para encurtar a conversa, o contador de histórias escolheu uma lebre; o velho o envolveu com a corda, golpeou-o com a varinha e ei-la! Uma lebre saltitante, de orelhas compridas, que não parava de pular pelo gramado.

Mas não demorou muito; quem mais senão sua mulher chamou os cães e os açulou para cima da lebre. A lebre fugiu, os cães a seguiram. O campo era rodeado por um muro alto, de modo que, por mais que corresse, ele não conseguia fugir, e o mendigo e a esposa se divertiam bastante ao vê-lo correr em círculos.

Em vão ele veio pedir ajuda à esposa; ela o chutou de volta para os cães, até que, por fim, o mendigo parou os cães e, com um golpe da varinha, o contador de histórias, sem fôlego, apareceu diante deles novamente.

– Gostou da diversão? – perguntou o mendigo.

– Pode ser uma diversão para os outros – respondeu o contador de histórias, olhando para a esposa. – De minha parte, eu poderia muito bem ficar sem isso. Seria pedir demais saber, afinal, quem você é, de onde vem ou por que tem prazer em atormentar um pobre velho como eu?

– Oh! – respondeu o mendigo. – Eu sou só um sujeito estranho, pobre um dia, rico no outro, mas, se você deseja saber mais sobre mim ou meus hábitos, venha comigo que eu posso lhe mostrar mais do que você descobriria por sua própria conta.

– Não sou meu próprio mestre para decidir se vou ou se fico – disse o contador de histórias, com um suspiro.

O mendigo enfiou a mão na bolsa e, diante dos olhos deles, tirou dela um homem de meia-idade e boa aparência, com quem falou assim:

– Por tudo que você ouviu e viu desde que o coloquei em minha bolsa, tome conta desta senhora, da carruagem e dos cavalos, tenha-os à mão quando eu precisar.

Mal ele disse essas palavras, tudo desapareceu, e o contador de histórias se viu em Foxe's Ford, perto do castelo de Red Hugh O'Donnell. Ele podia ver todos, mas ninguém podia vê-lo.

O rei O'Donnell estava em seu salão, e o peso de seu corpo grande e o cansaço de seu espírito recaíam sobre ele.

– Vá – ordenou o rei ao porteiro – e veja quem ou o que está vindo.

O porteiro foi verificar e viu um mendigo magro e grisalho; metade de sua espada exposta atrás de seu quadril, seus dois sapatos chapinhando com a água fria da estrada de terra, a ponta de suas duas orelhas para fora de seu chapéu velho, seus dois ombros para fora de sua capa esfarrapada e, na mão, uma varinha verde de azevinho.

– Salve, O'Donnell – disse o mendigo magro e grisalho, assim que avistou o rei.

– Você também – disse O'Donnell. – De onde veio? Qual é o seu ofício?

– Venho do riacho mais distante da terra, dos vales onde os cisnes brancos deslizam. Uma noite em Islay, uma noite em Man, uma noite na fria encosta.

– Que grande viajante você é – disse O'Donnell. – Talvez tenha aprendido algo na estrada.

– Eu sou um prestidigitador – disse o mendigo magro e grisalho –, e por cinco moedas de prata você verá um truque meu.

– Você as terá – disse O'Donnell.

O mendigo magro e grisalho pegou três pedaços de palha pequenos e os colocou na mão dele.

– Vou soprar a do meio, mas as outras duas não vão se mover – ele disse.

– Você não tem como fazer isso – disseram todos.

Então o mendigo pôs um dedo em cada uma das palhas laterais e, tomando fôlego, soprou a do meio.

– É um bom truque – disse O'Donnell e lhe pagou as cinco moedas de prata.

– Farei o mesmo truque pela metade do dinheiro – disse um dos criados do rei.

– Acredite nas palavras dele, O'Donnell.

O rapaz colocou os três pedaços de palha em sua mão e um dedo em cada uma das palhas laterais e soprou; e o que aconteceu, senão que o punho foi arrancado com a palha?

– Doeu e vai doer ainda mais – disse O'Donnell.

– Mais seis moedas, O'Donnell, e farei outro truque para você – disse o mendigo magro e grisalho.

– Seis moedas você terá.

– Veja minhas duas orelhas! Vou mover uma, mas não a outra.

– É fácil vê-las, elas são grandes o bastante, mas você nunca pode mover uma só orelha sem mover a outra.

O mendigo magro e grisalho levou a mão até a orelha e a puxou.

O'Donnell riu e pagou-lhe as seis moedas.

– Chama isso de truque, mas qualquer um pode fazer igual – disse o rapaz que perdeu o punho e, assim dizendo, ele ergueu a mão, puxou a orelha, e o que aconteceu foi que ele arrancou a cabeça.

– Está doendo agora, mas vai doer mais – disse O'Donnell.

– Bem, O'Donnell – disse o mendigo –, estranhos são os truques que lhe mostrei, mas vou mostrar um ainda mais estranho pelo mesmo dinheiro.

– Dou minha palavra que você o terá – disse O'Donnell.

Com isso, o mendigo retirou da bolsa que trazia debaixo do braço uma bola de seda, e ele desenrolou a bola e a atirou para o céu azul-claro, e ela se tornou uma escada; então ele pegou uma lebre e colocou-a sobre o fio, e ela subiu correndo; depois ele tirou da bolsa um cão de orelhas vermelhas, e rapidamente ele correu atrás da lebre.

– Agora – disse o mendigo magro e grisalho –, alguém quer correr atrás do cão neste fio?

– Eu vou – disse o criado de O'Donnell.

– Levante-se, então – disse o prestidigitador –, mas aviso que, se deixar minha lebre ser morta, eu cortarei sua cabeça quando você descer.

O rapaz correu fio acima, e os três logo desapareceram. Depois de olhar para cima por um longo tempo, o mendigo magro e grisalho disse:

– Temo que o cão esteja comendo a lebre e que nosso amigo tenha dormido.

Dizendo isso, ele começou a enrolar o fio, e o rapaz caiu dele profundamente adormecido; e o cão de orelhas vermelhas desceu trazendo em sua boca o último bocado da lebre.

O mendigo golpeou o rapaz com o gume da espada e arremessou sua cabeça longe. Quanto ao cão, se com ele não fez algo pior, tampouco fez melhor.

– Estou um pouco impressionado e um tanto furioso que um cão e um rapaz tenham sido mortos em minha corte – disse O'Donnell.

– Cinco moedas de prata para cada um deles, e suas cabeças voltarão para cima dos pescoços, como estavam antes – disse o prestidigitador.

– Você as receberá – disse O'Donnell.

Cinco moedas e mais cinco foram pagas, e ei-los! O rapaz agora tinha sua cabeça de volta, e o cão, também. E, embora eles tenham vivido até o fim dos tempos, o cão nunca mais tocou em uma lebre, e o rapaz teve o cuidado de manter os olhos bem abertos.

Assim que isso aconteceu, o mendigo magro e grisalho sumiu da vista de todos, e nenhum dos presentes sabia dizer se ele havia voado pelo ar ou se a terra o engolira.

Ele se moveu como uma onda caindo sobre outra onda, como um redemoinho seguindo outro redemoinho, como uma rajada de vento furiosa, tão veloz, alegre, jovial e orgulhosa, que não se deteve até chegar à corte do rei de Leinster. Lá ele surgiu com leveza e alegria no topo da torre da corte e da cidade do rei de Leinster.

Pesada era a carne e fatigado era o espírito do rei de Leinster. Essa era a hora em que ele costumava ouvir uma história, mas poderia mandar buscá-lo de Leste a Oeste, e notícia alguma obteria sobre seu contador de histórias.

– Vá até a porta – pediu ele ao porteiro – e veja se há alguém à vista que possa me dizer algo sobre meu contador de histórias.

O porteiro foi verificar e o que viu foi um mendigo magro e grisalho; metade de sua espada exposta atrás de seu quadril, seus dois sapatos chapinhando com água fria de estrada de terra, a ponta de suas duas orelhas para fora de seu chapéu velho, seus dois ombros para fora de sua capa esfarrapada e, na mão, uma varinha verde de azevinho.

– O que você sabe fazer? – perguntou o porteiro.

– Eu sei tocar – disse o mendigo magro e grisalho. – Não tema – acrescentou ele ao contador de histórias –, você poderá ver todos, mas ninguém poderá vê-lo.

Quando o rei soube que um harpista estava lá fora, ele o convidou a entrar.

– Tenho os melhores harpistas das cinco partes da Irlanda – disse ele, e os pôs para tocar. Eles tocaram, e o mendigo magro e grisalho ficou ouvindo.

– Já ouviu algo assim? – perguntou o rei Conn.

– Ó majestade, você alguma vez ouviu um gato ronronando sobre uma tigela de caldo, ou o zumbido dos besouros no crepúsculo, ou uma velha mulher de voz estridente repreendendo-o até a fadiga?

– Isso eu ouvi muitas vezes – disse o rei.

– Os piores ruídos são mais melodiosos para mim do que a mais doce harpa dos seus harpistas – disse o mendigo magro e grisalho.

Quando os harpistas ouviram isso, puxaram suas espadas e avançaram sobre ele; mas, em vez de acertá-lo, seus golpes caíram uns sobre os outros, e logo não havia um homem sequer que não estivesse partindo a cabeça de seu camarada e tendo a própria cabeça partida em retribuição.

Quando o rei viu isso, ele pensou consigo que os harpistas não estavam contentes só em assassinar a música, mas que também precisavam matar uns aos outros!

– Enforquem o sujeito que começou esta confusão – disse ele –, e, se eu não posso ouvir uma boa história, então me deixem ficar em paz.

Os guardas vieram, agarraram o mendigo, levaram-no para o patíbulo e enforcaram-no sem misericórdia. Eles marcharam de volta para o salão, e quem encontraram senão o mendigo magro e grisalho sentado em um banco e com a boca em um jarro de cerveja?

– Você não é bem-vindo aqui – gritou o capitão da guarda. – Por acaso, não acabamos de enforcá-lo? O que faz aqui dentro?

– Está falando comigo mesmo?

– Com quem mais? – gritou o capitão, furioso.

– Que sua mão se transforme em pé de porco quando pensar em usar a corda em mim. Por que está falando que vai me enforcar?

Eles correram de volta para a forca e lá estava pendurado o irmão favorito do rei.

Então correram para o rei, que tinha adormecido profundamente, e o acordaram.

– Por favor, majestade – disse o capitão –, enforcamos aquele vagabundo, mas cá ele voltou inteiro como sempre.

– Enforquem-no de novo – o rei disse e rapidamente adormeceu mais uma vez, como por encantamento.

Eles fizeram o que lhes foi dito, mas o que aconteceu foi que desta vez encontraram o harpista-chefe do rei pendurado onde o mendigo magro e grisalho deveria estar. O capitão da guarda ficou extremamente confuso.

– Pretende me enforcar uma terceira vez? – perguntou o mendigo magro e grisalho.

– Vá para onde quiser – disse o capitão – e tão rápido quanto quiser, contanto que vá para bem longe daqui! Já nos deu problemas o bastante.

– Agora você está sendo razoável – disse o mendigo –, e, já que você desistiu de tentar enforcar um estranho só porque ele criticou a música que ouviu, não me importo de dizer que, se você voltar até a forca, encontrará os amigos sentados no gramado como se nada disto tivesse acontecido.

Ao dizer essas palavras, ele desapareceu; e o contador de histórias encontrou-se no local onde se conheceram, e onde sua esposa ainda estava, com a carruagem e os cavalos.

– Agora – disse o mendigo magro e grisalho – não vou mais atormentá-lo. Aí está sua carruagem e seus cavalos, seu dinheiro e sua esposa; faça o que quiser com eles.

– Por minha carruagem, minhas casas e meus cães lhe agradeço – disse o contador de histórias –; mas pode ficar com minha mulher e meu dinheiro.

– Não – disse o outro. – Eu não quero nada, e, quanto à sua esposa, não pense mal dela pelo que ela fez; ela não tinha como evitar.

– Não adianta explicar! Não conta muito a favor dela ter me chutado para a boca dos meus próprios cães! Nem ter me rejeitado em favor de um velho miserável...

– Eu não sou tão pobre nem tão velho quanto você pensa. Sou Angus de Bruff. Você me deu muita sorte com o rei de Leinster. Esta manhã, minha magia me contou sobre a dificuldade em que você estava e decidi ajudá-lo. Quanto à sua esposa, o mesmo poder que mudou seu corpo a fez mudar de ideia. Esqueça tudo e perdoe-a, como marido e mulher deveriam fazer; e agora você tem uma história para o rei de Leinster quando ele pedir uma.

– E depois de dizer isso o homem desapareceu.

É verdade que agora ele tinha uma história digna de um rei. O contador de histórias contou tudo o que lhe acontecera do princípio ao fim; o rei divertiu-se tanto e riu tão alto que nem conseguiu dormir com tamanha comoção. E ele disse ao contador de histórias para não se preocupar com histórias novas, pois todas as noites, enquanto vivesse, ele ouviria e riria inúmeras vezes com a história do mendigo magro e grisalho.

A sereia

Era uma vez um pobre e velho pescador, e houve um ano em que ele não estava capturando muitos peixes. Certo dia, enquanto pescava, uma sereia subiu à tona, ao lado de seu barco, e perguntou a ele:

– Está pegando muitos peixes?

O velho pescador respondeu:

– Não, não estou.

– Que recompensa você me daria se eu lhe desse muitos peixes?

– Oh! Não tenho muito o que oferecer – disse o velho homem.

– Você me daria o primeiro filho que tiver? – propôs ela.

– Sim, eu darei meu filho, se tiver um – respondeu ele.

– Então, vá para casa e lembre-se de mim quando seu filho completar vinte anos de idade, e você terá muitos peixes depois deste acordo.

Tudo aconteceu como a sereia dissera, e ele sempre obtivera muitos peixes; mas, quando estava por esgotar o prazo de vinte anos, o velho homem ficou cada vez mais acabrunhado e com um peso no coração enquanto contava cada dia.

Ele não descansava de dia nem de noite. O filho, preocupado, perguntou ao pai:

– Tem alguma coisa incomodando o senhor?

O velho homem respondeu:

– Sim, estou preocupado, mas isso não tem a ver com você nem com ninguém.

O rapaz replicou:

– Pois eu quero saber o que é.

Então o pai contou a ele o que acontecera no passado e o acordo entre ele e a sereia.

– Não se preocupe com isso – disse o filho. – Não vou me voltar contra o senhor.

– Você não deve ir de modo algum, meu filho, mesmo que nunca mais eu consiga pescar.

– Se não quiser que eu vá com o senhor, então procure um ferreiro e peça que ele faça para mim uma espada bem forte, e eu sairei em busca de minha sorte.

O pai foi até o ferreiro, que fez uma forte espada. O pai levou a espada para casa, e o rapaz a agarrou, deu-lhe umas sacudidas, e ela se despedaçou em uma centena de estilhaços. O filho pediu ao pai que voltasse ao ferreiro e lhe encomendasse uma espada com o dobro do peso e mais resistente, e assim seu pai fez. No entanto, aconteceu o mesmo com a segunda espada: ela se quebrou em várias partes. Lá foi outra vez o velho pescador ao ferreiro; e este confeccionou uma espada grande, forte e resistente, como nunca havia feito antes.

– Aqui está sua espada – disse o ferreiro. – Precisará de um punho forte para manejá-la.

O velho homem deu a espada ao filho, que deu uma ou duas sacudidas na arma.

– Esta vai servir – ele disse. – Agora está na hora de eu seguir meu caminho.

Na manhã seguinte, ele pôs a sela no cavalo negro que era de seu pai e abraçou a estrada. Depois de andarilhar um pouco, deparou-se com a carcaça de uma ovelha na lateral da estrada. Estavam ali um cão negro, uma lontra e um falcão, que competiam por aqueles restos. Então, os animais pediram que ele dividisse a carcaça entre os três. Ele desceu do cavalo e atendeu o pedido: três partes da carcaça ele deu ao cão, duas partes à lontra e uma parte ao falcão.

– Por tudo isto, se precisar da ajuda de passos ligeiros e dentes afiados, lembre-se de mim, e estarei ao seu lado – disse o cão.

E falou a lontra:

– Se lhe faltar pés para nadar em lagos, rios ou até mesmo no mar, lembre-se de mim, e estarei ao seu lado.

E disse o falcão:

– Se sobrevierem dificuldades nas quais a agilidade das asas ou a curva de uma garra serão de ajuda, lembre-se de mim, e estarei ao seu lado.

Ele prosseguiu em seu caminho até chegar à morada de um rei, onde foi contratado como pastor, e seu salário era de acordo com a produção de leite do gado. Ele saiu um dia com o gado, e o pasto estava muito empobrecido. Ao cair da noite, quando ele levou as vacas para casa, elas não deram muito leite; e a comida e a bebida que ele recebeu em pagamento mal davam para sustentá-lo naquela noite.

No dia seguinte, ele levou o gado para mais longe, até que por fim chegaram a um pasto de relva exuberante, em um vale verdejante como ele nunca vira.

Mas ao fim da tarde, quando ele precisava conduzir o gado de volta para casa, o que ele viu senão um enorme gigante com sua espada em mãos?

– HEI-HO! HOGARACH!!! – gritou o gigante. – Essas vacas são minhas, pois estão nas minhas terras, e você é um homem morto.

– Eu não diria isso – respondeu o pastor. – Nunca se sabe, mas algumas coisas são mais fáceis de ser ditas do que feitas.

O pastor sacou sua grande espada reluzente e se aproximou do gigante. Então ele brandiu a espada, e a cabeça do gigante foi cortada em um piscar de olhos. Depois, saltou sobre o cavalo negro e saiu à procura da casa do gigante. Quando a encontrou e entrou, viu que ali havia dinheiro em abundância, e nos guarda-roupas viu roupas para homens e para mulheres, e também muito ouro e prata, cada peça mais bela que a outra. Ao cair da noite, ele foi até a morada do rei, sem levar nada da casa do gigante. E, quando as vacas foram ordenhadas, desta vez havia muito leite. Ele se alimentou bem naquela noite, teve comida e bebida à vontade, e o rei estava muito satisfeito de tê-lo contratado como pastor. Por um tempo, ele continuou levando as vacas até o vale verdejante, até que o pasto começou a rarear e a grama já não era mais tão boa.

Então ele pensou em seguir mais adiante nas terras do gigante, e encontrou um belo campo gramado. Voltou para buscar o gado e o levou àquele campo. Fazia pouco tempo que as vacas pastavam nesse lugar quando um enorme e desvairado gigante surgiu louco e enfurecido.

– HI-HAW!! HOGARAICH!!! – gritou o gigante. – É uma bebida feita com seu sangue que matará minha sede esta noite.

– Não há como saber – respondeu o pastor. – Mas é mais fácil falar do que fazer.

E lançaram-se um na direção do outro. As espadas estremeceram! Pelejaram durante um tempo e, por fim, parecia que o gigante venceria o pastor. Então, o pastor chamou pelo cão, e com um salto o animal atacou o pescoço do gigante, e rapidamente o pastor cortou-lhe a cabeça.

Ele voltou para casa muito cansado naquela noite, mas seria de espantar se o gado do rei não produzisse leite. A família toda estava muito satisfeita por possuir um gado tão produtivo.

No dia seguinte, ele se dirigiu ao castelo daquele gigante. Quando chegou à porta, encontrou uma pequena bruxa velha e bajuladora.

– Toda a sorte e saúde a você, filho do pescador! Estou encantada em conhecê-lo; é uma grande honra para este reino tê-lo aqui, sua vinda tornará esta humilde propriedade famosa; entre primeiro, cumprimente a nobreza; vá em frente e tome um pouco de ar.

– Entre antes de mim, velha; não gosto de adulações ao ar livre; entre e escutarei o que tem a dizer.

A velha entrou e, quando ela estava de costas, ele sacou a espada e lhe decepou a cabeça; porém a espada escapou de sua mão. Rapidamente a velha agarrou a cabeça com as mãos e devolveu-a ao lugar onde estava antes, em cima do pescoço. O cão saltou para cima da mulher, mas ela o golpeou com seu bastão mágico, e o cão ficou caído no chão. O pastor agarrou o bastão mágico, e, com um golpe no alto da cabeça, ela caiu por terra em um piscar de olhos. Ele seguiu em frente, e o que foi que encontrou no castelo da velha? Ouro e prata, uma peça mais preciosa que outra! Ele voltou à morada do rei e houve muitos festejos.

Ele continuou a pastorear nesse novo campo por um tempo, mas em uma noite, depois que ele voltou para casa, em vez de ser recebido com um "Salve" e um "Boa sorte" da leiteira, encontrou todos angustiados e tristes. Perguntou qual era a causa daquela comoção, e a leiteira respondeu:

– Há um grande animal com três cabeças no lago, e a cada ano ele vem pegar alguém; este ano ele escolheu a filha do rei, e amanhã, ao meio-dia, ela deve encontrar o monstro Laidly na extremidade do lago, mas há um grande pretendente que quer resgatá-la ali.

– E que pretendente é esse? – perguntou o pastor.

– Ah, ele é um grande general – explicou a leiteira. – E, quando ele matar o monstro, vai se casar com a filha do rei, pois o rei falou que quem salvar sua filha deverá se casar com ela.

Na manhã seguinte, enquanto o horário do encontro se aproximava, a filha do rei e seu herói foram encontrar o monstro, e chegaram à rocha negra na extremidade do lago. Esperaram pouco tempo até que o monstro começou a se mover nas águas do lago, porém, quando o general teve um relance daquele monstro medonho com três cabeças, ele ficou apavorado, escapuliu e foi esconder-se. Quanto à filha do rei, ficou aterrorizada e trêmula sem ninguém que a salvasse. De repente, ela viu um jovem bonito e valente cavalgando um corcel negro e rumando para onde ela estava. Ele estava maravilhosamente paramentado e totalmente armado, e seu cão o seguia.

– Há tristeza em seu rosto, moça – disse o jovem. – O que faz aqui?

– Ah! Não se preocupe – respondeu a filha do rei. – Em todo caso, não ficarei aqui por muito tempo.

– Eu não diria isso – disse ele.

– Um campeão, corajoso assim como você, fugiu não faz muito tempo.

– Ele é um campeão que enfrenta somente a guerra – disse o jovem.

E o jovem foi ao encontro do monstro com sua espada e seu cão. E foi possível ouvir sons terríveis de golpes e jorros de água! O cão fez tudo o que podia para ajudar, e a filha do rei permanecia paralisada com os assustadores ruídos do monstro. Uma hora o pastor estava dominado naquela luta, outra hora, o monstro. Mas, por fim, o pastor cortou fora a cabeça do monstro. Ele soltou um rugido, e o filho da terra, o eco nas rochas, chamou pelo seu grito; o monstro se lançou no lago num esguicho que foi de uma ponta a outra e, num piscar de olhos, desapareceu de vista.

– Boa sorte e que a vitória sempre o acompanhe! – exclamou a filha do rei. – Estarei segura por uma noite, mas o monstro voltará outras vezes, até que suas duas outras cabeças também sejam cortadas.

Ele pegou a cabeça do monstro e amarrou uma corda nela, deu-a à filha do rei pedindo que ela a trouxesse no dia seguinte. Ela deu a ele um anel de ouro e foi para o castelo carregando a cabeça no ombro, enquanto o pastor foi conduzir suas vacas. No entanto, ela não havia ido muito longe quando o grande general a viu e lhe disse:

– Vou matá-la se não contar que fui eu que cortei a cabeça do monstro.

– Oh! É o que vou dizer – concordou ela. – Quem mais teria cortado a cabeça dele senão você?

Eles chegaram à morada do rei, o general carregava a cabeça do monstro. Houve comemorações por ela ter voltado para casa sã e salva, assim como saudações ao grande general, que trazia consigo a cabeça do monstro ensanguentada. Na manhã seguinte, eles saíram, e ninguém duvidava de que esse herói salvaria a filha do rei.

Chegaram ao mesmo lugar e não precisaram esperar muito até que o temerário monstro Laidly se movesse no lago e o herói fugisse de pavor como fizera no dia anterior. Mas não demorou até que surgiu o rapaz cavalgando o corcel negro e trajando suas ricas vestes. Ela sabia que aquele era o mesmo rapaz que já a salvara.

– Estou feliz em vê-lo – ela disse. – Tenho esperança de que hoje você usará sua grande espada tão bem quanto a usou ontem. Venha e tome um pouco de ar. – Mas não ficaram muito tempo ali, pois logo enxergaram o monstro se movendo no lago.

O jovem avançou sobre o monstro, e houve estrépitos de golpes, azáfama, jorros de água, bramidos e rugidos da fera. Continuaram brigando assim por um bom tempo, e ao cair da noite o pastor conseguiu cortar a segunda cabeça do monstro. Ele a amarrou com a corda e deu-a à filha do rei. Por sua vez, ela deu a ele um de seus brincos, e ele saltou sobre o cavalo negro e foi cuidar do gado. A filha do rei foi para casa levando as duas cabeças. O general a encontrou e pegou as cabeças, dizendo-lhe que ela deveria contar, mais uma vez, que fora ele quem as decepou.

– E quem mais teria cortado as cabeças do monstro senão você? – perguntou ela.

Chegaram à morada do rei com as duas cabeças, e novamente houve muita alegria e comemoração.

No dia seguinte, à mesma hora, os dois saíram. O general se escondeu como de costume. A filha do rei se dirigiu à extremidade do lago. O herói montado no corcel negro apareceu; e, se o monstro rugira e zurzira muito nos dias anteriores, neste dia ele estava terrível! Mas isso não importava, pois o herói cortou a terceira cabeça do monstro, amarrou-a e deu-a para a filha do rei. Ela deu a ele seu outro brinco e foi para casa com as cabeças. Quando chegaram à morada do rei, estavam todos sorridentes, e ficou combinado que o general se casaria com a filha do rei no dia seguinte. A festa de casamento transcorria normalmente, e todos os convidados presentes no castelo esperaram a chegada do padre. Porém, quando ele chegou, a filha do rei determinou que só se casaria com quem pudesse desatar os nós que amarravam as cabeças do monstro sem cortá-los.

– Quem mais conseguiria desatar esses nós senão o homem que os fez? – perguntou o rei.

O general tentou, mas não conseguiu afrouxar os nós; até que por fim não havia mais ninguém no castelo que não tivesse tentado, em vão, soltar os nós. O rei perguntou se havia mais alguém na casa disposto a tentar desamarrar as cabeças. Algumas pessoas lembraram que o pastor ainda não havia tentado. Chamaram o pastor, e rapidamente ele desatou os nós.

– Mas espere aí, moço – disse a filha do rei. – O homem que cortou as cabeças do monstro está com meu anel e meus dois brincos.

O pastor pôs as mãos nos bolsos e então colocou as joias dela sobre a mesa.

– Você é meu homem! – exclamou a filha do rei.

O rei não ficou contente ao saber que sua filha se casaria com um pastor, mas deu ordens para que o vestissem com roupas melhores; contudo, a filha disse que ele tinha uma roupa melhor do que qualquer traje que já se vira naquele castelo; e assim aconteceu. O pastor vestiu a roupa dourada do gigante, e eles se casaram naquele mesmo dia.

Agora estavam casados e tudo seguia bem. Mas um dia, e foi exatamente no dia que o pescador havia prometido que entregaria seu filho à sereia, o jovem casal estava passeando às margens do lago, quando, veja o que aconteceu! A sereia veio e arrastou o filho do pescador para dentro do lago sem pedir licença nem permissão. Agora a filha do rei estava melancólica, chorosa e cega de tristeza por seu marido; sempre com os olhos voltados para o lago. Então ela encontrou um adivinho que lhe contou o que havia acontecido com o marido. Ele contou a ela as coisas que ela precisava fazer para salvar o companheiro, e foi o que ela fez.

Ela levou sua harpa até a beira do lago, sentou-se e tocou. A sereia subiu à superfície para ouvir, porque as sereias gostam de música mais do que qualquer outra criatura. Mas quando a esposa viu a sereia, ela parou de tocar. A sereia pediu:

– Continue tocando!

Mas a princesa disse

– Não. Não tocarei mais até que eu veja meu homem de novo.

Então a sereia puxou a cabeça dele para cima da superfície. A princesa tocou de novo e parou até que a sereia o puxasse para fora até a cintura. Então a princesa tocou mais uma vez e parou, até que a sereia o deixasse totalmente fora da água. Nesse momento, ele chamou pelo falcão, e juntos voaram para a margem. No entanto, em troca a sereia levou a princesa, sua esposa.

Naquela noite, cada pessoa na cidade ficou triste. O marido estava melancólico, choroso, andarilhando de um lado para o outro à margem do lago, e fazia isso todo dia e toda noite. O adivinho o encontrou e disse que só havia um modo de se matar uma sereia, e contou:

– Na ilha que existe no centro do lago vive uma corça de patas brancas, com as pernas mais esguias e o passo mais ligeiro. Você deve caçá-la e dela surgirá uma gralha-cinzenta; da mesma forma, a gralha deve ser caçada, e dela surgirá uma truta; mas haverá um ovo na boca da truta, e o espírito da sereia vive dentro desse ovo. Se ele se quebrar, ela estará morta!

Não havia modo de chegar àquela ilha, pois a sereia afundaria quaisquer canoas ou barcos que adentrassem o lago. Ele decidiu que tentaria saltar pelo estreito com seu corcel negro, e foi isso que ele fez. O pastor então viu a corça e mandou o cão pegá-la; no entanto, quando o cão ia para um lado da ilha, a corça já estava do outro lado.

– Ah! Se o cão negro para quem dei a carne da carcaça estivesse aqui!

Tão logo ele pronunciou essas palavras, o cão estava ao seu lado; e atrás da corsa ele foi, e não demorou muito para que a derrubasse no chão. Porém, o cão não conseguiu pegar a gralha-cinzenta com a mesma facilidade.

– Se ao menos aquele falcão-cinzento, de olhar afiado e asas ágeis, estivesse aqui!

Assim que ele disse isso, o falcão se pôs a voar atrás da gralha e não demorou para derrubá-la no chão. Quando a gralha caiu à margem do lago, de dentro dela saltou uma truta.

– Ah, se estivesse aqui para me ajudar, ó lontra!

Assim que ele disse isso, ao seu lado surgiu a lontra, que rapidamente saltou no lago e trouxe-lhe a truta do meio das águas. E, assim que a lontra veio para a margem com a truta, um ovo saiu da boca do peixe. Ele se adiantou e pôs o pé sobre o ovo. Foi quando a sereia apareceu e pediu:

– Não quebre o ovo e você terá tudo o que deseja!

– Devolva-me minha esposa!

Em um piscar de olhos a filha do rei estava ao lado dele. E, no momento que ele tomou a mão dela entre as suas, o pé esquerdo dele pisou sobre o ovo, e a sereia morreu.

Uma lenda de Knockmany

Qual irlandês homem, mulher ou criança nunca ouviu falar de nosso renomado Hércules Hiberniano, o grande e glorioso Fin M'Coul? Do Cabo Clear e arredores até a Estrada do Gigante, não há quem nunca tenha ouvido falar dele. Aliás, falar da Estrada do Gigante me leva imediatamente ao início da minha história. Bem, aconteceu que Fin e seus homens estavam todos trabalhando na Estrada, a fim de fazer uma ponte para a Escócia; quando Fin, que gostava muito de sua esposa Oonagh, colocou na cabeça que iria para casa ver como a querida mulher estava passando em sua ausência. Então, ele derrubou um pinheiro e, depois de cortar as raízes e os galhos, fez do tronco uma bengala e partiu para ver Oonagh.

Oonagh, ou melhor, Fin vivia nessa época bem no topo da colina Knockmany, que fica de frente a Cullamore, que se ergue do lado oposto, lembrando um pouco uma colina ou uma montanha.

Havia naquela época outro gigante, chamado Cuchulain. Alguns dizem que ele era irlandês, outros, que era escocês; entretanto, fosse escocês ou irlandês, ele era um casca-grossa. Nenhum outro gigante da época poderia aparecer em sua frente; e tal era a sua força que, quando bastante irritado, bastava dar uma pisada que fazia tremer todo o chão ao seu redor. O nome e a fama dele iam longe; e dizia-se que nada que tivesse a forma de um homem teria qualquer chance de sucesso contra ele em uma luta. Com um golpe de seus punhos, ele transformou um raio em uma panqueca e guardou-a no bolso para mostrar a todos os seus inimigos quando estivessem prestes a lutar contra ele. Sem dúvida, ele havia dado uma surra considerável em todos os gigantes da Irlanda, exceto o próprio Fin M'Coul; e jurou que nunca descansaria, fosse de noite ou de dia, no inverno ou no verão, até que desse o mesmo tratamento a Fin, se conseguisse pegá-lo. No entanto, seja dito com reverência, resumidamente, que Fin ouviu que Cuchulain estava vindo até a Estrada para um duelo de força com ele; e Fin foi tomado por um súbito e caloroso ataque de afeto por sua esposa, pobre mulher, levando uma vida muito solitária e desconfortável em sua ausência. Consequentemente, ele derrubou um pinheiro, como eu disse antes, e, depois de tê-lo transformado em bengala, viajou para reencontrar sua querida Oonagh no alto de Knockmany.

Na verdade, as pessoas se indagavam por que Fin havia escolhido um lugar tão inóspito, onde ventava demais, para erguer sua casa, e chegaram até a perguntar isso para ele.

– O que você estava pensando, senhor M'Coul – perguntaram eles –, quando ergueu sua cabana no pico de Knockmany, onde, de dia ou de noite, no inverno ou no verão, sempre venta demais e se é obrigado a usar gorro mesmo quando não é hora de dormir, onde mal se pode levantar um dedinho de tanto frio; e, além disso, em um lugar onde se sofre tanto com falta de água?

– Ora – disse Fin –, desde que eu tinha a altura de uma torre redonda, sou conhecido por gostar de ter uma boa visão; e em que outro lugar, meus vizinhos, poderia eu encontrar um ponto melhor para ter uma ampla perspectiva senão no pico de Knockmany? Quanto à água, estou cavando um poço e, assim que a Estrada estiver concluída, pretendo terminá-lo, se Deus quiser.

No entanto, isso era apenas mais uma teoria de Fin, pois a verdadeira razão é que ele se pôs no topo de Knockmany para poder ver Cuchulain chegando quando viesse à sua casa. Tudo o que temos a dizer é que, se ele quisesse um local onde pudesse manter uma vigilância cuidadosa – o que, cá entre nós, ele queria dolorosamente, a não ser pelos montes Croob ou Donard, ou a prima deles, a montanha Cullamore – ele não conseguiu encontrar um lugar melhor ou mais conveniente na doce e sagaz província de Ulster.

– Deus salve todos aqui! – exclamou Fin, bem-humorado, ao colocar seu franco rosto diante de sua própria porta.

– Caramba, Fin, valha-me! Seja bem-vindo ao seu próprio lar e à sua Oonagh, meu querido valentão. – Seguiu-se uma beijoca que teria feito as águas do lago no sopé da colina se curvar, por assim dizer, de tanta gentileza e cumplicidade.

Fin passou dois ou três dias felizes com Oonagh e se sentiu muito à vontade, considerando o pavor que tinha de ser surpreendido por Cuchulain. No entanto, esse sentimento cresceu tanto nele que sua esposa não pôde deixar de notar que ele estava guardando algo para si, em pensamentos. Mas uma mulher sabe como descobrir ou extrair um segredo de seu homem quando ela assim deseja. Fin era uma prova disso.

– É o Cuchulain que está me incomodando – contou ele. – Quando ele fica com raiva e começa a pisar com força, pode sacudir uma cidade inteira; e é bem sabido que ele pode parar um raio, pois ele sempre carrega um na forma de uma panqueca, para mostrar a qualquer pessoa que duvide disso.

Enquanto falava, Fin batia com o polegar na boca, o que sempre fazia quando queria profetizar ou saber qualquer coisa que tivesse acontecido em sua ausência; e a esposa perguntou por que ele estava fazendo isso.

– Ele está vindo – disse Fin. – Eu posso vê-lo no sopé do Dungannon.

– Por Deus, querido! E quem é ele? Deus me acuda!

– É aquela besta do Cuchulain – respondeu Fin –, e eu não sei como lidar com isso. Se eu fugir, cairei em desgraça; e sei que mais cedo ou mais tarde terei de encontrá-lo, pois meu polegar me avisa isso.

– Quando ele estará aqui? – perguntou ela.

– Amanhã, por volta das duas horas – respondeu Fin, com um gemido.

– Bem, meu valentão, não desanime – disse Oonagh. – No que depender de mim, posso tirar você dessa encrenca melhor do que você mesmo, de acordo com seu polegar.

Ela então fez uma fumaça alta no topo da colina, depois colocou o dedo na boca e deu três assobios, e com isso Cuchulain soube que foi convidado para Cullamore, pois era assim que os irlandeses há muito tempo sinalizavam aos forasteiros e viajantes que eles eram bem-vindos para vir e partilhar do que os anfitriões tivessem em casa naquele momento.

Nesse ínterim, Fin estava muito melancólico e não sabia o que fazer nem como agir. Cuchulain era um visitante terrível demais para se receber; e a ideia da "panqueca" acima mencionada assustava seu próprio coração. Que chance ele poderia ter, por mais forte e corajoso que fosse, contra um homem que podia, quando exasperado, causar terremotos com seu caminhar e transformar raios em panquecas? Fin não sabia que mão estender a ele, se a direita ou a esquerda, para frente ou para trás, nem aonde ir; ele não conseguia decidir absolutamente nada sobre como deveria agir.

– Oonagh – perguntou ele –, você não pode fazer nada por mim? Onde está sua sagacidade? Vou ser esfolado como um coelho e terei meu nome desgraçado para sempre aos olhos de toda a minha tribo; logo eu, o melhor homem entre eles? Como vou lutar contra aquele homem-montanha, aquele enorme cruzamento de terremoto com raio? Que carrega uma panqueca no bolso que já foi…

– Calma, Fin – respondeu Oonagh. – Juro, estou com vergonha de você. Mantenha a compostura, sim? Falando em panquecas, vamos dar a ele tantas quantas ele trouxer consigo, sejam feitas de raios ou do que for. Se eu não lhe oferecer uma comida melhor do que aquela com que ele está acostumado, nunca mais confie em Oonagh. Deixe-o comigo, e faça o que eu mandar.

Isso deixou Fin muito aliviado, pois ele tinha grande confiança em sua esposa, sabendo que ela já o havia livrado de muitas encrencas antes. Oonagh então puxou nove fios de lã de cores diferentes – o que ela sempre fazia para descobrir a melhor maneira de ter sucesso em qualquer coisa importante que precisava fazer. Então ela as trançou em três tranças, com três cores em cada, colocou uma em seu braço direito, uma em volta do coração e a terceira em seu tornozelo direito, e então ela soube que nada do que fizesse poderia falhar.

Tendo tudo preparado, ela foi até os vizinhos pedir emprestadas vinte e uma grelhas de ferro, escondeu-as dentro de vinte e um pães, que depois assou no fogo da maneira usual e os colocou de lado no armário, conforme ficavam prontos. Em seguida, encheu uma grande panela com leite novo, que transformou em coalhada e soro de leite. Depois de fazer tudo isso, sentou-se bastante satisfeita, esperando a chegada do visitante no dia seguinte por volta das duas horas, o horário em que ele era esperado, pois Fin era capaz de adivinhar tal coisa apenas chupando o dedo. Essa era uma propriedade muito curiosa que o polegar de Fin possuía. Ademais, nisso tudo ele era muito parecido com seu grande inimigo, Cuchulain; pois era bem sabido que a enorme força que Cuchulain possuía residia no dedo médio de sua mão direita e, se por acaso ele o perdesse, não teria mais do que a força de um homem comum, apesar de seu tamanho.

Por fim, no dia seguinte, Cuchulain foi visto atravessando o vale, e Oonagh soube que era hora de começar a agir. Ela imediatamente trouxe o berço e fez Fin se deitar nele e se cobrir com as roupas.

– Você deve se passar por seu próprio filho – disse ela. – Então, apenas fique aí confortável e não diga nada, faça o que eu mandar.

Por volta das duas horas, como era esperado, Cuchulain entrou.

– Deus salve todos aqui! – exclamou ele. – É aqui que mora o grande Fin M'Coul?

– Sim, é aqui, bom homem – respondeu Oonagh. – Deus o salve com toda a gentileza. Não quer se sentar?

– Obrigado, senhora – disse ele, sentando-se. – Você é a senhora M'Coul, suponho.

– Sim, sou – disse ela. – E não tenho motivo, espero, para ter vergonha de meu marido.

– Não – disse o outro –, ele tem fama de ser o homem mais forte e mais corajoso da Irlanda; mas, apesar de tudo, há um homem não muito longe de você que deseja muito dar uma sacudida nele. Ele está em casa?

– Ora essa, não! – respondeu ela. – Se algum dia um homem saiu furioso desta casa, foi ele! Parece que alguém lhe contou sobre um gigante do tamanho de uma fortaleza, chamado Cuchulain, que foi até a Estrada para procurá-lo, e então ele foi para lá para ver se conseguia pegá-lo. Juro que eu desejo, pelo bem do pobre gigante, que ele não o encontre, pois Fin vai transformá-lo em purê muito rápido.

– Bem – disse o outro –, eu sou Cuchulain e tenho procurado por ele há doze meses, mas ele sempre se manteve afastado de mim; e não descansarei um dia ou uma noite sequer até colocar minhas mãos nele.

Diante disso, Oonagh soltou uma gargalhada alta, de grande desprezo, e o olhou como se ele fosse apenas um homenzinho comum.

– Você já viu Fin? – perguntou ela, mudando totalmente de postura.

– E como poderia? – perguntou ele. – Ele sempre teve o cuidado de manter distância.

– Logo imaginei – respondeu ela. – Se você seguir meu conselho, pobre criatura, vai rezar noite e dia para que nunca o veja, pois eu lhe digo que será um dia sombrio para você quando o vir. Mas, enquanto isso, já que o vento está forte e o próprio Fin não está em casa, talvez você possa me fazer a gentileza de virar a casa para o outro lado, pois é o que o Fin faz quando está aqui...

Isso foi surpreendente até mesmo para Cuchulain; mas ele se levantou e, depois de puxar o dedo médio da mão direita até que tivesse estalado três vezes, saiu e, passando os braços ao redor da casa, girou-a como a mulher desejava. Quando Fin viu isso, ele sentiu o suor do medo escorrer por todos os poros de sua pele; porém Oonagh, com sua inteligência feminina, não se sentia nem um pouco assustada.

– Ah-ha! – murmurou ela. – Já que é tão gentil, talvez você pudesse fazer mais um favorzinho, uma vez que Fin não está aqui. Veja, depois desse longo período de seca que tivemos, passamos muitos apertos por falta de água. Fin diz que há uma ótima nascente em algum lugar sob as rochas atrás da colina aqui embaixo, e ele tinha a intenção de arrancar essas rochas hoje; mas então ele ouviu falar de você e saiu de casa tão furioso que nem se lembrou disso. Agora, se você tentar encontrar a nascente, juro que vou entender como uma gentileza.

Ela então levou Cuchulain para ver o lugar, que era todo feito de rocha sólida; depois de olhar por algum tempo, ele estalou o dedo médio direito nove vezes e, abaixando-se, rasgou uma fenda de mais de cem metros de profundidade e quatrocentos de comprimento, que desde então foi batizada com o nome de Fenda de Lumford.

– Agora venha até minha casa – disse ela – e coma um pouco da humilde comida que podemos oferecer. Mesmo que vocês sejam inimigos, Fin detestaria se eu não o tratasse bem na casa dele; e, de fato, se eu não fizesse isso na ausência dele, ficaria desgostoso comigo.

Portanto, ela o fez entrar e colocou diante dele meia dúzia dos pães de que falamos, mais uma lata ou duas de manteiga, uma peça de toucinho cozido e uma pilha de repolho e convidou-o a servir-se. Isso aconteceu, que se saiba, muito antes da invenção das batatas. Cuchulain colocou um dos pães na boca, deu uma enorme mordida e ouviu-se um barulho estrondoso, algo entre um rosnado e um grito.

– Sangue e fúria! – ele gritou. – Como pode ser isso? Aqui estão dois dos meus dentes! Que tipo de pão você me deu?

– Qual é o problema? – perguntou Oonagh friamente.

– Problema! – gritou o outro. – Ora, perdi aqui os dois melhores dentes da minha boca.

– Ora – disse ela –, esse é o pão de Fin. O único pão que ele come quando está em casa; mas, de fato, eu me esqueci de dizer que ninguém consegue comê-lo, exceto ele mesmo e aquela criança no berço ali. No entanto, pensei que, como me disseram que você era um sujeitinho bem forte para seu tamanho, talvez fosse capaz de comê-lo. Eu não queria insultar um homem que se acha capaz de lutar contra Fin. Aqui está outro pão; talvez não esteja tão duro quanto o outro.

Naquele momento, Cuchulain não estava apenas com fome, mas faminto, então ele se preparou para abocanhar o segundo pão e imediatamente outro grito foi ouvido, duas vezes mais alto que o primeiro.

– Trovão e a forca! – ele rugiu. – Tire o seu pão daqui, ou não me restará um dente na boca; outro par deles se foi!

– Então, bom homem – respondeu Oonagh –, se você não pode comer o pão, fale baixo e não acorde a criança no berço ali. Ora veja, agora ele acordou.

Fin deu um guincho, como se viesse daquela criança que se esperava que ele fosse, mas o grito foi tão alto e estridente que assustou o gigante.

– Mãe – disse ele –, estou com fome, quero algo para comer.

Oonagh se aproximou e pôs nas mãos dele um pão que não tinha uma grelha por dentro. Fin, cujo apetite nesse ínterim havia sido aguçado por ver a comida, logo o engoliu. Cuchulain ficou estupefato e secretamente agradeceu às suas estrelas por ter a sorte de perder o encontro com Fin, pois, como disse a si mesmo, "não teria chance contra um homem capaz de comer um pão como aquele, sendo que até seu filho é capaz de mastigá-lo diante dos meus olhos".

– Eu gostaria de olhar o menino no berço – disse ele a Oonagh –; pois eu lhe digo que um bebê que consegue comer essa comida não deve ser brincadeira de se olhar, ou de alimentar em um verão de escassez.

– Com todas as veias do meu coração – respondeu Oonagh –, levante-se, Acushla, e mostre a este homenzinho decente algo que não será indigno de seu pai, Fin M'Coul.

Fin, que estava vestido de acordo com a ocasião e o mais parecido possível com um menino, levantou-se e levou Cuchulain para fora:

– Você é forte? – perguntou ele.

– Trovões e pancadas – exclamou o outro –, que voz forte é essa em um sujeito tão pequeno!

– Você é forte? – perguntou Fin de novo. – Você é capaz de espremer água dessa pedra branca? – ele perguntou, colocando uma pedra na mão de Cuchulain.

O gigante apertou a pedra repetidas vezes, mas em vão.

– Ah, você é uma pobre criatura! – exclamou Fin. – Você é um gigante! Dê-me a pedra aqui, e, quando eu mostrar o que o filhinho de Fin pode fazer, você poderá julgar como é meu pai.

Fin então pegou a pedra e, trocando-a furtivamente pela coalhada, espremeu-a até que o soro, claro como água, escorresse de sua mão como uma pequena chuva.

– Agora vou voltar para o meu berço – disse ele –, pois detesto perder meu tempo com qualquer pessoa que não é capaz de comer o pão do meu pai nem de espremer água de uma pedra. Escute, é melhor você sair daqui antes que ele volte; pois, se ele o pegar, você estará em apuros em dois minutos!

Cuchulain, vendo o que tinha visto, era da mesma opinião; seus joelhos batiam com o terror da volta de Fin, e ele se apressou em se despedir de Oonagh e assegurá-la de que, daquele dia em diante, ele nunca mais desejaria ouvir sobre o marido dela e muito menos vê-lo.

– Admito com justiça que, forte como sou, não sou páreo para ele – disse Cuchulain. – Diga-lhe que o evitarei como faria com a peste e, enquanto ele viver, eu não serei visto por estas partes.

Fin, entretanto, tinha ido para o berço, onde ficou muito quieto, com o coração saltitando de alegria por Cuchulain estar prestes a partir sem ter descoberto os truques que lhe foram pregados.

– Você tem sorte de ele por acaso não estar aqui – disse Oonagh –, pois teria transformado você em carne para dar de comida ao falcão.

– Sei disso – disse Cuchulain –; se ele não fizer coisa pior. Mas antes, que eu vá, deixe-me sentir que tipo de dentes esse menino tem para conseguir comer um pão grelhado como aquele.

– Com todo o prazer da vida – disse ela. – Mas, como os dentes dele ficam bem no fundo da boca, você tem que colocar seu dedo bem para dentro.

Cuchulain ficou surpreso ao encontrar um conjunto tão poderoso de molares em alguém tão jovem; mas ficou ainda mais espantado ao descobrir, quando tirou a mão da boca de Fin, que havia deixado para trás o próprio dedo do qual dependia toda a sua força. Ele soltou um enorme gemido e caiu imediatamente fraco e aterrorizado. Isso era tudo que Fin queria: saber que seu inimigo mais poderoso e hostil agora estava à sua mercê. Ele saiu do berço, e em poucos minutos o grande Cuchulain, que por tanto tempo fora o terror dele e de todos os seus seguidores, tornou-se apenas um cadáver aos seus pés. Desse modo, Fin, por meio da inteligência e criatividade de Oonagh, sua mulher, conseguiu vencer seu inimigo com astúcia, o que ele nunca poderia ter feito só com a força.

Bela, Morena e Trêmula

O rei Hugh Curucha morava em Tir Conal e tinha três filhas, cujos nomes eram Bela, Morena e Trêmula. Bela e Morena usavam vestidos novos e iam à igreja todos os domingos. Trêmula era mantida em casa para cozinhar e trabalhar. Elas não a deixavam sair de casa; pois ela era mais bonita do que as outras duas e temiam que se casasse antes delas. Viveram assim por sete anos. No final dos sete anos, o filho do rei de Emania se apaixonou pela irmã mais velha.

Num domingo de manhã, depois que as outras duas foram à igreja, a velha dona do aviário foi até a cozinha onde estava Trêmula e disse:

– É na igreja que você deveria estar hoje, em vez de trabalhando aqui em casa.

– E como poderia? – perguntou Trêmula. – Não tenho roupas boas o suficiente para ir à igreja; e, se minhas irmãs me vissem lá, elas me matariam por sair de casa.

– Vou lhe dar um vestido mais fino do que qualquer outro que elas já tenham visto – disse a mulher. – Diga-me agora: que vestido você quer?

– Quero um vestido branco como a neve e sapatos verdes para meus pés – disse Trêmula.

Então a mulher vestiu o manto das trevas, cortou um pedaço das roupas velhas que a jovem vestia e pediu as vestes mais brancas do mundo e as mais bonitas que pudessem ser encontradas, e também um par de sapatos verdes.

Assim que recebeu nas mãos o vestido e os sapatos, ela os levou para Trêmula, que os vestiu. Quando Trêmula estava vestida e pronta, a dona do aviário disse:

– Cá está um pássaro-do-mel para ficar em seu ombro direito e um dedo-de-mel[7] para colocar no ombro esquerdo. Na porta encontrará uma égua branca como leite, com uma sela dourada para você se sentar e uma rédea dourada para segurar.

Trêmula sentou-se na sela dourada e, quando estava pronta para cavalgar, a mulher alertou:

– Você não deve entrar pela porta da igreja e, no minuto em que as pessoas se levantarem ao final da missa, saia e venha para casa tão rápido quanto a égua puder correr.

Quando Trêmula chegou à porta da igreja não havia quem a tivesse visto que não estivesse tentando descobrir quem ela era; e, quando a viram sair apressada ao final da missa, correram para alcançá-la. Mas não adiantou correr; ela foi embora antes que qualquer homem pudesse chegar perto dela. Desde o minuto em que saiu da igreja até chegar em casa, ela ultrapassou o vento adiante e sobrepujou o vento atrás de si.

Quando entrou pela porta da asa, ela descobriu que a dona do aviário tinha feito o jantar. Em um piscar de olhos, tirou as vestes brancas e colocou seu velho vestido.

Quando as duas irmãs voltaram para casa, a dona do aviário perguntou:

– Alguma notícia de hoje na igreja?

– Sim, temos uma ótima notícia – disseram elas. – Vimos uma dama maravilhosa na porta da igreja. Nunca vimos uma mulher com tão lindas roupas como as que ela vestia. Nossos vestidos não tinham como competir

---

[7] O significado das palavras "pássaro-do-mel" (*honey-bird*) e "dedo-de-mel" (*honey-finger*) se perdeu ao longo do tempo. É provável que esses sejam artefatos mágicos que a dona do aviário deu a Trêmula. (N.T.)

com o que ela estava usando; e não havia um homem sequer ali, do rei ao mendigo, que não estivesse olhando e tentando saber quem era ela.

As irmãs não teriam paz até que tivessem vestidos semelhantes aos da estranha dama; mas não encontraram um pássaro-do-mel nem um dedo-de-mel para usar.

No domingo seguinte, as duas irmãs foram à igreja novamente e deixaram a mais nova em casa para preparar o jantar.

Depois que saíram, a dona do aviário entrou e perguntou:

– Você vai à igreja hoje?

– Eu iria – disse Trêmula – se pudesse ir.

– Que roupa quer usar? – perguntou a mulher.

– O melhor cetim preto que puder ser encontrado e sapatos vermelhos para os meus pés.

– De que cor você quer sua égua?

– Quero que ela seja tão negra e brilhante que eu possa me ver refletida em seu corpo.

A dona do aviário vestiu o manto das trevas e pediu as roupas e a égua. No mesmo momento ela as obteve. Quando Trêmula se vestiu, a mulher colocou o pássaro-do-mel em seu ombro direito e o dedo-de-mel no esquerdo. A sela da égua era de prata, assim como os arreios.

Quando Trêmula se sentou na sela e estava para partir, a dona do aviário recomendou fortemente que ela não entrasse pela porta da igreja, que se afastasse tão logo o povo se levantasse ao fim da missa e cavalgasse de volta para casa antes que qualquer homem pudesse detê-la.

Naquele domingo, o povo ficou ainda mais surpreso e olhou para ela mais do que da primeira vez; tudo o que queriam era descobrir quem ela era. Mas eles não tiveram chance, pois, no momento em que as pessoas se levantaram ao final da missa, Trêmula escapuliu, subiu na sela de prata e estava em casa antes que qualquer homem pudesse detê-la ou falar com ela.

A dona do aviário já estava com o jantar pronto. Trêmula tirou seu vestido de cetim e vestiu suas roupas velhas antes de suas irmãs chegarem em casa.

– Que novidades vocês têm hoje? – a mulher perguntou às irmãs, quando voltaram da igreja.

– Oh, vimos a estranha dama de novo! E nenhum homem poderia admirar nossos vestidos depois de ver as vestes de cetim que ela usava! E todos na igreja, da posição mais alta à mais baixa, estavam boquiabertos com sua beleza, e nenhum homem prestou atenção em nós.

As duas irmãs não tiveram descanso nem paz até que conseguissem encontrar vestidos tão parecidos com as vestes da estranha dama. Claro que os vestidos delas não eram tão bons, pois vestes semelhantes àquelas não podiam ser encontradas em Erin.

Quando chegou o terceiro domingo, Bela e Morena foram à igreja vestidas de cetim preto. Elas deixaram Trêmula em casa para trabalhar na cozinha e disseram a ela que se assegurasse de ter o jantar pronto para quando voltassem.

Depois que saíram e sumiram de vista, a dona do aviário veio até a cozinha e perguntou:

– Bem, minha querida, você vai à igreja hoje?

– Eu iria se tivesse um vestido novo para usar.

– Conseguirei qualquer vestido que você queira. De qual vestido você gostaria? – perguntou a mulher.

– Um vestido vermelho como uma rosa da cintura para baixo e branco como a neve da cintura para cima; uma capa verde nos ombros; e um chapéu na cabeça com uma pluma vermelha, uma branca e uma verde; e sapatos com os bicos vermelhos, os meios brancos e o calcanhar e os saltos verdes.

A dona do aviário vestiu o manto das trevas, desejou todas essas coisas e as obteve. Quando Trêmula se vestiu, a mulher colocou o pássaro-do-mel em seu ombro direito e o dedo-de-mel em seu ombro esquerdo e, colocando o chapéu na cabeça da jovem, cortou alguns fios de cabelo de uma mecha e de outra com sua tesoura, e naquele momento o mais lindo cabelo dourado estava sobre os ombros da garota. Então a mulher perguntou que tipo de égua ela montaria. Ela disse que seria branca, com manchas azuis e douradas em forma de diamante por todo o corpo, no dorso uma sela de ouro, e na cabeça, rédeas de ouro.

A égua estava parada diante da porta e havia um pássaro sentado entre suas orelhas, que começou a cantar assim que Trêmula subiu na sela e não parou até que ela voltasse da igreja.

A fama da estranha e formosa dama tinha se espalhado pelo mundo, e todos os príncipes e grandes homens vieram à igreja naquele domingo, cada um esperando levá-la para casa com ele depois da missa.

O filho do rei de Emania esqueceu-se totalmente da irmã mais velha e ficou do lado de fora da igreja para apanhar a estranha dama antes que ela escapasse.

A igreja estava mais lotada do que nunca, e havia três vezes mais gente do lado de fora. Trêmula apenas conseguiu passar pelo portão por causa da multidão diante da igreja.

Assim que o povo estava se levantando ao final da missa, a dama escapuliu pelo portão, subiu na sela dourada em um piscar de olhos e partiu mais rápida que o vento. Ela cavalgava rápido, mas o príncipe de Emania corria ao seu lado e, agarrando-a pelo pé, ele correu emparelhado com a égua por alguns metros sem largar a bela dama, até que o sapato foi puxado e ficou para trás, na mão de príncipe. Trêmula voltou para casa o mais rápido que a égua conseguiu correr e ficou pensando o tempo todo que a dona do aviário poderia matá-la por perder o sapato.

Vendo-a tão contrariada e de expressão transfigurada, a velha perguntou:

– Qual é o problema?

– Oh! Perdi um dos sapatos que estavam nos meus pés – explicou Trêmula.

– Não ligue para isso, não se aflija – disse a mulher. – Talvez essa seja a melhor coisa que já aconteceu com você.

Em seguida, Trêmula deu tudo o que tinha para a dona do aviário, vestiu suas roupas velhas e foi trabalhar na cozinha. Quando as duas irmãs voltaram para casa, a dona do aviário perguntou:

– Têm alguma notícia de hoje na igreja?

– Sim, de fato – disseram elas –, tivemos uma visão grandiosa hoje. A estranha dama voltou, com uma pompa ainda maior. Nela e em seu cavalo podíamos ver as mais belas cores do mundo, e entre as orelhas do cavalo havia um pássaro que não parou de cantar desde o momento em que chegou até quando foi embora. A própria dama é a mulher mais bonita já vista por todos em Erin.

Depois que Trêmula desapareceu da igreja, o filho do rei de Emania disse aos filhos dos outros reis:

– Terei aquela dama para mim.

Todos eles responderam:

– Você não a conquistou só porque está com o sapato dela; terá de conquistá-la com a espada; terá de lutar por ela conosco antes de chamá-la de sua.

– Bem, não se preocupem – disse o filho do rei de Emania. – Quando eu encontrar a dama em cujo pé sirva este sapato, lutarei por ela antes de deixá-la para qualquer um de vocês.

Então todos os filhos dos reis ficaram inquietos e ansiosos por saber quem era aquela que perdera o sapato; e eles começaram a viajar por toda Erin tentando encontrá-la. O príncipe de Emania e todos os outros seguiram juntos em uma grande comitiva e vasculharam toda Erin. Foram a todos os lugares: Norte, Sul, Leste e Oeste. Visitaram todos os recantos onde uma mulher pudesse ser encontrada, e não houve casa no reino que não tivesse sido visitada em busca da mulher em quem o sapato caberia, não importando se ela era rica ou pobre, nobre ou do povo.

O príncipe de Emania sempre mantinha o sapato consigo; e, quando as moças o viam, ficavam com grandes esperanças, pois o sapato era do tamanho adequado, nem grande nem pequeno, e seria surpreendente descobrir de que material era feito. Uma moça pensou que o sapato caberia nela se cortasse um pouco do dedão do pé; e outra, com o pé muito curto, pôs um enchimento na ponta da meia. Mas não adiantou; elas apenas feriram os pés e precisaram curá-los ao longo dos meses.

As duas irmãs, Bela e Morena, ouviram dizer que os príncipes do mundo estavam procurando por toda Erin a mulher que pudesse calçar adequadamente o sapato, e todos os dias comentavam que queriam experimentá-lo. Um dia, Trêmula falou:

– Talvez o sapato fique perfeito em meu pé.

– Ah, mas era só essa que faltava! Por que diz isso, se você ficou em casa todos os domingos?

Elas esperavam ansiosas e sempre repreendiam a irmã mais nova, até que finalmente os príncipes se aproximaram do local onde viviam. No dia em que viriam, as irmãs prenderam Trêmula em um armário e trancaram a porta. Quando a comitiva chegou em casa, o príncipe de Emania deu o sapato para as irmãs. Mas, embora tentassem calçá-lo de todas as formas, o sapato não vestiu em nenhuma delas.

– Há alguma outra jovem na casa? – perguntou o príncipe.

– Há – gritou Trêmula, falando de dentro do armário. – Estou aqui!

– Oh! Ela só está aqui para varrer as cinzas da lareira – disseram as irmãs.

Mas o príncipe e os demais não sairiam da casa antes de vê-la; então as duas irmãs tiveram que abrir a porta. Quando Trêmula saiu, o sapato foi dado a ela e se encaixou perfeitamente.

O príncipe de Emania olhou para ela e disse:

– Você é a mulher em quem o sapato serviu e é a mulher de quem eu o tirei.

Então Trêmula falou:

– Fique aqui, espere-me que eu já volto.

Ela foi até a casa da dona do aviário. A velha vestiu o manto das trevas, conjurou tudo que Trêmula tinha usado no primeiro domingo na igreja e a colocou sobre a égua branca da mesma maneira. Em seguida, Trêmula seguiu pela estrada até a frente da casa. Todos que a viram da primeira vez disseram:

– Esta é a dama que vimos na igreja.

Em seguida, ela foi embora uma segunda vez, e uma segunda vez voltou com a égua preta e o segundo vestido que a dona do aviário lhe deu. Todos que a viram no segundo domingo disseram:

– Esta é a dama que vimos na igreja.

Pela terceira vez ela se ausentou e logo voltou com a terceira égua e com o terceiro vestido. Todos os que a viram pela terceira vez disseram:

– Esta é a dama que vimos na igreja.

Cada homem estava satisfeito e sabia que ela era a mulher procurada. Então todos os príncipes e grandes homens disseram ao filho do rei de Emania:

– Você terá que lutar por ela antes que a deixemos ir com você.

– Estou aqui diante de vocês, pronto para o combate – respondeu o príncipe.

Então, o filho do rei de Lochlin deu um passo à frente. A luta começou, e foi uma luta terrível. Eles lutaram por nove horas; e então o filho do rei de Lochlin parou, desistiu de sua reivindicação e foi embora. No dia seguinte, o filho do rei da Espanha lutou por seis horas e desistiu de sua demanda. No terceiro dia, o filho do rei de Nyerfói lutou por oito horas e parou. No quarto dia, o filho do rei da Grécia lutou por seis horas e desistiu. No quinto dia, nenhum príncipe estrangeiro quis lutar; e todos os filhos de reis em Erin disseram que não lutariam contra um homem de sua própria terra, que os estrangeiros tiveram sua chance, e, como nenhum outro veio reclamar a mulher, ela pertencia, por direito, ao filho do rei de Emania.

O dia do casamento foi marcado, e os convites foram enviados. A festa de casamento durou um ano e um dia. Quando acabou, o filho do rei trouxe a noiva para casa e, quando chegou a hora, um filho nasceu. A jovem mandou chamar a irmã mais velha, Bela, para lhe fazer companhia e cuidar dela. Um dia, quando Trêmula estava bem e seu marido estava caçando, as duas irmãs saíram para passear; e, quando chegaram à beira-mar, a mais velha empurrou a irmã mais nova para dentro da água. Uma grande baleia veio e a engoliu.

A irmã mais velha voltou sozinha para casa, e o príncipe perguntou:

– Onde está sua irmã?

– Ela foi para a casa de nosso pai em Ballyshannon; agora que estou bem, não preciso dela.

– Certo – disse o marido, olhando para ela. – Receio que foi minha esposa quem partiu.

– Oh, não! – exclamou ela –, foi a minha irmã Bela que se foi.

Como as duas irmãs eram muito parecidas, o príncipe ficou em dúvida. Naquela noite, ele colocou sua espada entre ambos e disse:

– Se você for mesmo minha esposa, esta espada vai esquentar; do contrário, ficará fria.

De manhã, quando ele se levantou, a espada estava fria como no momento em que ele a colocara ali.

Quando as duas irmãs estavam caminhando à beira-mar, um menino vaqueiro que cuidava do gado perto da água viu Bela empurrar Trêmula para dentro do mar; e, no dia seguinte, quando a maré subiu, ele viu uma baleia se aproximar e jogá-la na areia. Enquanto estava na areia, disse ao vaqueiro:

– Quando você voltar para casa com as vacas, ao cair da noite, diga ao seu senhor que minha irmã Bela me empurrou para o mar ontem; que uma baleia me engoliu e depois me expulsou, mas virá novamente e me engolirá com a chegada da próxima maré, então ela irá embora com a maré e voltará no dia seguinte e me lançará novamente na praia. A baleia vai me expulsar três vezes; ela me pôs um encantamento, de modo que não posso sair da praia nem fugir sozinha. A menos que meu marido me salve antes que eu seja engolida pela quarta vez, estarei perdida. Ele deve vir e atirar na baleia com uma bala de prata quando ela lhe der as costas. Debaixo da barbatana peitoral da baleia há uma mancha marrom-avermelhada. Meu marido deve acertá-la naquele local, pois é o único lugar em que ela pode ser morta.

Quando o vaqueiro chegou em casa, a irmã mais velha deu-lhe um gole de esquecimento, e ele não contou.

No dia seguinte, ele foi novamente para o mar. A baleia veio e lançou Trêmula na praia novamente. Ela perguntou ao menino:

– Você contou ao seu senhor o que eu pedi para você contar?

– Não – respondeu ele. – Eu esqueci.

– Como você esqueceu? – perguntou ela.

– A dona da casa me deu uma bebida que me fez esquecer.

– Bem, não se esqueça de contar a ele esta noite; e, se ela lhe der uma bebida, não aceite.

Assim que o vaqueiro voltou para casa, a irmã mais velha ofereceu-lhe uma bebida. Ele se recusou a aceitá-la antes de entregar sua mensagem e contar tudo ao seu senhor. No terceiro dia, o príncipe saiu com sua arma e uma bala de prata. Não demorou muito quando a baleia veio e jogou Trêmula na praia como fizera nos dois dias anteriores. Ela não tinha poder para falar com o marido até que ele matasse a baleia. Então a baleia se afastou, virou o dorso e mostrou seu ponto fraco apenas por um momento. Naquele momento, o príncipe atirou. Ele tinha apenas uma chance, e uma chance pequena; mas ele a aproveitou e atingiu-a no local exato, e a baleia, enlouquecida de dor, tingiu de sangue o mar ao redor e morreu.

Naquele minuto, Trêmula recuperou o poder da fala e foi para casa com o marido, que mandou contar ao pai o que a irmã mais velha fizera. O pai lhe disse que daria a ela qualquer morte que ele desejasse. O príncipe respondeu ao pai que deixaria a vida e a morte dela em suas mãos. Então, o pai lançou Bela ao mar dentro de um barril, com provisões para sete anos.

Tempos depois, Trêmula teve uma filha. Ela e o príncipe mandaram o menino vaqueiro para a escola e o educaram como se fosse um de seus próprios filhos, e disseram:

– Se nossa filha viver, nenhum outro homem no mundo vai ficar com ela a não ser ele.

O vaqueiro e a filha do príncipe viveram para poder se casar. A mãe dela disse ao marido:

– Você não poderia ter me salvado da baleia se não fosse pelo pequeno vaqueiro; por essa razão, não é de má vontade que dou a ele minha filha.

O filho do rei de Emania e Trêmula tiveram catorze filhos, e eles viveram felizes até morrerem de velhice.

Jack e seu patrão

Uma pobre mulher tinha três filhos. O mais velho e o do meio eram bastante astutos e espertos, mas o mais jovem costumava ser chamado de Jack, o Imbecil, porque pensavam que ele não passava de um simplório. O mais velho se cansou de ficar em casa e disse que sairia para procurar serviço. Ele ficou fora um ano, até que voltou um dia, arrastando um pé atrás do outro, ostentando um rosto murcho e muito irritado. Depois que ele descansou e conseguiu algo para comer, contou para sua mãe e irmãos como conseguira um serviço com o Avaro Cinzento da Cidade do Azar, e que ambos fizeram um acordo. Aquele que primeiro se arrependesse do acordo teria arrancada de si uma tira da pele com uma polegada de largura, retirada de suas costas, desde o ombro até os quadris. Se fosse o patrão, ele também deveria pagar salários em dobro; se fosse o empregado, não receberia o salário.

— Mas o patrão me deu tão pouco para comer e me fez trabalhar tão arduamente – disse ele – que minha carne e meu sangue não suportaram; e, quando ele me perguntou se eu estava zangado, se me arrependia do trato, fui louco o suficiente para dizer que sim, e aqui estou eu, incapacitado para o resto da vida.

A pobre mãe e os irmãos ficaram bastante aborrecidos com isso; e o irmão do meio decidiu na mesma hora que iria trabalhar para o Avaro

Cinzento para puni-lo por todo o aborrecimento que ele havia causado, até que o fizesse dizer que se arrependia do acordo.

– Ah, como ficarei satisfeito de ver a pele arrancada das costas do velho vilão! – exclamou ele.

Nada do que disseram para fazê-lo mudar de ideia surtiu efeito; ele partiu para a Cidade do Azar e, em doze meses, estava de volta, tão infeliz e desamparado quanto o irmão mais velho.

E nada do que a mãe dissesse impediria Jack, o Imbecil, de querer acertar as contas com o Avaro Cinzento. Ele concordou em trabalhar para ele durante um ano por vinte libras, e os termos eram os mesmos.

– Agora, Jack – avisou o Avaro Cinzento –, se você se recusar a fazer qualquer coisa de que for capaz, perderá o salário de um mês.

– Concordo – disse Jack. – E, se você me impedir de fazer algo que me mandou fazer, vai me dar o salário em dobro.

– Concordo – disse o patrão.

– E, se você me culpar por obedecer a suas ordens, deve me dar o mesmo.

– Combinado – disse o patrão novamente.

No primeiro dia de trabalho, Jack foi mal alimentado e trabalhou até cair de cansaço. No dia seguinte, ele voltou pouco antes de o almoço ser servido no salão. Estavam tirando o ganso do espeto, e Jack se apressou em pegar uma faca do gabinete e cortar a metade do peito, uma perna, uma coxa, uma asa e começou a devorar a carne. O patrão entrou e, tentando intimidar o jovem, começou a ralhar com ele.

– Ah, senhor, você sabe que precisa me alimentar, e comendo este bom bocado de carne de ganso não precisarei me alimentar de novo até o jantar. Está arrependido do nosso acordo?

O patrão ia gritar que sim, mas ele se lembrou a tempo.

– Oh, não, de jeito nenhum – disse ele.

– Tudo bem – disse Jack.

No dia seguinte, Jack foi coletar turfa no pântano. Não lamentaram tê-lo fora da cozinha na hora do almoço. Antes de sair, ele percebeu que o café da manhã não fazia volume em seu estômago; por isso ele disse à patroa:

– Senhora, acho que será melhor para mim pegar o meu almoço agora e não perder tempo voltando do pântano para casa.

– Isso é verdade, Jack – disse ela. Então ela trouxe um belo pão, um pedaço de manteiga e uma garrafa de leite, pensando que ele os levaria para o pântano. Mas Jack continuou sentado ali e devorou o pão, a manteiga e o leite.

– Agora, senhora – disse ele –, chegarei mais cedo ao trabalho amanhã se dormir confortavelmente em uma pilha de turfa seca sobre grama seca em vez de voltar aqui. Portanto, é melhor você me dar o meu jantar e resolvermos logo essa questão.

Então ela entregou o jantar, pensando que ele pretendia levá-lo ao pântano; mas ele o comeu ali mesmo e não deixou uma migalha para contar a história. A patroa ficou um pouco surpresa.

Ele foi até o patrão perguntar:

– O que os servos devem fazer depois do jantar?

– Nada, a não ser ir para a cama.

– Muito bem, senhor.

Então Jack subiu no palheiro, despiu-se e deitou-se, e quem o viu delatou-o ao patrão. Ele foi até Jack.

– Jack, seu canalha, o que está fazendo?

– Indo dormir, senhor. A patroa, Deus a abençoe, me deu o café da manhã, o almoço e o jantar, e você me disse que após o jantar eu poderia ir para a cama. Você me culpa, senhor?

– Sim, seu patife, eu o culpo.

– Dê-me uma libra e dezessete pence, por favor, senhor.

– Dou-lhe o demônio com treze diabos, seu safado! Para quê?

– Ah, eu vejo que se esqueceu do nosso acordo. Está arrependido?

– Sim, estou... Não, quero dizer – corrigiu-se rapidamente –, darei o dinheiro depois da sua soneca.

Na manhã seguinte, bem cedo, Jack perguntou qual seria seu trabalho naquele dia.

– Você deve segurar o arado naquele pousio, fora do cercado.

O mestre foi por volta das nove horas para ver que tipo de lavrador era Jack, e o que ele viu foi o garotinho conduzindo os animais, o rasto e a relha do arado deslizando pelo gramado, e Jack puxando os cavalos de volta.

– O que você está fazendo, seu ladrão invertido? – perguntou o patrão.

– Não vê que estou fazendo de tudo para segurar este arado no mesmo lugar, como você mandou? Mas o destrambelhado daquele menino continua chicoteando os animais, apesar de tudo que digo... Quer falar com ele?

– Não, mas vou falar com você. Você não sabia, seu caipira, que, quando eu disse para "segurar o arado", eu quis dizer revirar o solo?

– Caramba! Você devia ter me dito isso antes. Agora está me culpando pelo que fiz de errado quando foi você que não soube explicar?

O patrão se conteve a tempo, estava tão estupefato, mas não disse nada.

– Vá em frente e are o solo agora, seu tolo, como os outros lavradores fazem.

– Está arrependido do nosso acordo?

– Oh, de jeito nenhum, de jeito nenhum! Jack, agora are a terra como um bom trabalhador pelo resto do dia.

Um ou dois dias depois, o patrão mandou Jack cuidar das vacas em um campo cuja metade era coberta por espigas de trigo verdes.

– Certifique-se de manter a vaca Castanha longe do trigo; se ela estiver longe das travessuras, não é preciso se preocupar com o restante.

Por volta do meio-dia, ele foi ver como Jack estava cumprindo seu dever, e o que ele encontrou senão Jack dormindo com o rosto no chão, Castanha pastando perto de um espinheiro, e uma corda com um lado preso ao chifre dela e o outro dando a volta na árvore, enquanto o restante dos animais pisoteava e comia o trigo verde? O patrão gritou alguns bons desaforos e despertou Jack:

– Jack, seu vagabundo! Não vê onde as vacas estão?

– E você está me culpando, senhor?

– Com certeza estou, seu preguiçoso!

– Dê-me uma libra e dezessete pence, senhor. Você disse que, se eu mantivesse a Castanha longe das travessuras, não precisaria me preocupar com o restante. Veja, ela é tão inofensiva quanto um cordeiro. Está arrependido por me contratar, senhor?

– Sim... Isto é, de forma nenhuma! Vou dar o seu dinheiro quando você for jantar. Agora, escute; não deixe nenhuma vaca sair do campo nem ir para cima do trigo até o fim do dia.

– Não se preocupe, senhor! – E Jack tampouco se preocupou. Mas o fazendeiro Avaro estava realmente irritado por tê-lo contratado.

No dia seguinte, três novilhas haviam desaparecido, e o patrão ordenou a Jack que fosse procurá-las.

– Onde devo procurá-las? – perguntou Jack.

– Ora, em qualquer lugar provável e improvável onde possam estar.

O avarento estava tendo o cuidado de ser muito exato em suas palavras. Quando ele estava entrando na fortaleza de pedra[8] por volta da hora do almoço, encontrou Jack puxando braçadas de palha do telhado e espiando pelos buracos. Mas o que estava fazendo?

– O que você está fazendo aí, seu patife?

– Estou procurando as novilhas, coitadas!

– E por que estariam aí?

– Não acho que nada nem ninguém as traria para cá; mas eu olhei primeiro nos lugares prováveis, ou seja, os celeiros, as pastagens, os campos próximos, e agora estou procurando no lugar mais improvável que consigo pensar. Talvez o senhor não tenha gostado disso.

– Pode ter certeza de que não gostei, seu estúpido insuportável!

– Por favor, senhor, dê-me uma libra e dezessete pence antes de se sentar para almoçar. Receio que esteja arrependido por ter me contratado.

– Com o demô... Ah não, não! Não me arrependo. Você pode começar, por favor, a recobrir esse teto de palha como se estivesse trabalhando na cabana da sua mãe?

– Ah, tenha certeza de que vou fazer isso, senhor, com toda a boa vontade.

---

[8] *Bawn*, um tipo de construção irlandesa com torre e muros, à semelhança de uma fortaleza, feita para proteger o gado. (N.T.)

E, quando o fazendeiro voltou do almoço, o telhado estava melhor do que antes, pois Jack havia feito o menino lhe conseguir uma palha nova.

Quando ele desceu, o patrão falou:

– Vá, Jack, procure as novilhas e traga-as para casa.

– E onde vou procurá-las, senhor?

– Vá procurá-las como se fossem suas, procure-as até encontrar.

As novilhas estavam todas no pasto antes do pôr do sol.

Na manhã seguinte, o patrão falou:

– Jack, o caminho do brejo até o pasto é muito ruim, as ovelhas afundam a cada passo; vá e refaça aquele caminho com um bom uso dos pés das ovelhas.

Cerca de uma hora depois, ele chegou à beira do pântano e encontrou Jack afiando uma faca de trinchar enquanto as ovelhas pastavam em volta.

– Você ainda nem começou a consertar o caminho, Jack? – perguntou ele.

– Tudo deve ter um começo, senhor – disse Jack –, e uma coisa bem começada já foi feita pela metade. Estou afiando a faca com a qual cortarei os pés de todas as ovelhas do rebanho tão rápido quanto o senhor se benze.

– Os pés das minhas ovelhas, seu malandro?! Por que arrancaria os pés delas?

– Para consertar o caminho, como você me disse. Você disse: "Jack, faça um caminho com os pés das ovelhas".

– Ah, seu tolo, eu quis dizer para abrir caminho para os pés das ovelhas!

– É uma pena que você não disse isso dessa maneira, senhor. Agora dê-me uma libra e dezessete pence se não quiser que eu termine meu trabalho.

– Que o diabo o abençoe com essa sua libra e dezessete pence!

– É melhor rezar do que praguejar, senhor. Talvez você esteja arrependido do acordo.

– Pode ter certeza de que estou... Ainda não, de qualquer forma.

Na noite seguinte, o patrão estava indo para um casamento e disse a Jack, antes de partir:

– Vou sair da festa à meia-noite e quero que você vá até lá para me acompanhar de volta para casa e que depois fique comigo, pois temo me deixar levar demais pela bebida. Se você chegar lá antes e me lançar uns olhos de ovelha desgarrada, tenho certeza de que vão dar algo para você beber também.

Por volta das onze horas, enquanto o patrão conversava animado e de ótimo humor, ele sentiu algo úmido o atingir no rosto. A coisa caiu ao lado de seu copo, e, quando ele olhou, viu que era o olho de uma ovelha. Bem, ele não conseguia imaginar quem atirara nele, nem por quê. Depois de um tempo, sentiu uma pancada na outra bochecha, e o que o atingira fora mais um olho de ovelha. Ele ficou muito irritado, mas achou melhor não dizer nada. Dois minutos depois, quando ia tomar outro gole de bebida, um olho de ovelha entrou por sua boca aberta. Ele, irritado, gritou:

– Anfitrião, não é uma vergonha ter alguém nesta sala fazendo uma coisa tão desagradável?

– Senhor – chamou Jack –, não culpe o bom homem. É claro que fui eu que lhe lancei os "olhos de ovelha desgarrada" para lembrá-lo de que eu estava aqui e que também queria beber pela saúde da noiva e do noivo. Você sabe que foi você mesmo quem me convidou.

– Sei que você é um grande patife; e de onde tirou esses olhos?

– E onde eu poderia conseguir, a não ser nas suas próprias ovelhas? Preferia que eu fosse mexer com os animais dos vizinhos, que poderiam me colocar no pelourinho por isso?

– O meu azar é enorme por ter tido o azar de conhecer você!

– Vocês todos são testemunhas – disse Jack – de que meu patrão diz que lamenta ter me conhecido. Chegou a minha hora. Senhor, entregue-me o dobro do salário e venha para a sala ao lado, e porte-se como um homem digno até que eu retire uma tira de pele com uma polegada de largura do seu ombro até seu quadril.

Cada pessoa ali gritou contra isso; mas Jack explicou:

– Vocês não o impediram quando ele arrancou essas mesmas tiras de pele das costas dos meus dois irmãos e os mandou para casa naquele estado, e sem um tostão, para que nossa pobre mãe cuidasse dos ferimentos.

Quando ouviu o argumento de Jack, o público ficou muito ansioso para ver o trabalho concluído. O patrão berrava e urrava, mas não havia ninguém lá para ajudá-lo. Ele foi despido até os quadris e deitado no chão da sala, e Jack tinha na mão a faca de trinchar pronta para começar.

– Agora, seu velho vilão cruel – disse ele, dando alguns arranhões no chão com a faca –, vou lhe fazer uma oferta. Dê-me, além do dobro do meu salário, duzentos guinéus para sustentar meus pobres irmãos, e eu cancelo seu esfolamento.

– Não! – gritou ele. – Você pode me esfolar da cabeça aos pés se quiser.

– Lá vai, então – disse Jack com um sorriso, mas, no primeiro corte que ele fez, o avarento gritou:

– Pare, vou lhe dar o dinheiro!

– Agora, vizinhos – disse Jack –, vocês não devem fazer de mim um julgamento pior do que eu mereço. Eu não teria coragem de arrancar nem o olho de um rato; peguei meia dúzia de olhos com o açougueiro e só usei três.

Então todos voltaram para a outra sala, onde Jack foi convidado a se sentar, e todos beberam à sua saúde, enquanto ele bebeu à saúde de todos de uma só vez. E seis sujeitos robustos acompanharam Jack e seu patrão até em casa e esperaram na sala de visitas enquanto ele subia para buscar os duzentos guinéus prometidos e o dobro do salário de Jack. Quando Jack voltou para casa, trouxe consigo o otimismo do verão para a mãe pobre e os irmãos incapacitados; e, na boca do povo, ele não era mais Jack, o Imbecil, e sim Jack, o Esfolador de Avaros.

O túmulo de Gellert

O príncipe Llewellyn tinha um cão de caça favorito chamado Gellert, que fora presente de seu sogro, o rei John. Em casa, ele era gentil como um cordeirinho, mas era um leão na caça. Um dia, Llewellyn preparou-se para a caça e tocou sua trompa diante do castelo. Todos os cães atenderam ao chamado, mas Gellert não veio. Então Llewellyn soprou mais alto em sua trompa e chamou Gellert pelo nome, mas mesmo assim o cão não apareceu. Por fim, o príncipe Llewellyn não pôde esperar mais e saiu para a caça sem Gellert. Ele não se divertiu muito naquele dia, porque Gellert, o mais rápido e ousado de seus cães, não estava lá.

Llewellyn voltou furioso para seu castelo e, quando chegou ao portão, ninguém menos que Gellert veio correndo ao seu encontro. Mas, quando o cão se aproximou dele, o príncipe ficou surpreso ao ver que de sua boca e de suas presas pingava sangue. Llewellyn recuou, e o cão se agachou a seus pés, como se estivesse surpreso ou com medo da forma como seu mestre o cumprimentara.

O príncipe Llewellyn tinha um filho pequeno de um ano com quem Gellert costumava brincar, e um pensamento terrível cruzou a mente do príncipe, que correu para o quarto da criança. Quanto mais avançava, mais sangue e desordem ele encontrava nos cômodos do castelo. Ele correu para dentro do quarto e encontrou o berço da criança virado e manchado de sangue.

Cada vez mais apavorado, o príncipe Llewellyn procurou seu filho pequeno em todos os lugares, mas não conseguia encontrá-lo em lugar algum, via apenas sinais de um conflito terrível no qual muito sangue havia sido derramado. Por fim, ele teve certeza de que o cão havia aniquilado seu filho e gritou para Gellert:

– Monstro, você devorou meu filho! – Ele puxou a espada e a enfiou no flanco do cão, que caiu com um ganido profundo enquanto ainda buscava o olhar de seu mestre.

Enquanto Gellert soltava seu gemido de morte, o choro de uma criança soou debaixo do berço, e foi ali que Llewellyn encontrou seu filho ileso e acabando de acordar de um sono. Mas bem ao lado dele estava o corpo magro de um grande lobo todo dilacerado e coberto de sangue. Tarde demais Llewellyn entendeu o que acontecera enquanto ele estivera fora do castelo. Gellert havia ficado para trás para proteger a criança e enfrentou e matou o lobo que tentou devorar o herdeiro de Llewellyn.

Em vão foi toda a dor de Llewellyn; ele não poderia trazer seu fiel cão à vida novamente. Então, ele o enterrou fora das muralhas do castelo, à vista da grande montanha de Snowdon, onde todos os viajantes veriam seu túmulo, e colocou sobre ele uma grande pilha de pedras. Até hoje esse lugar se chama Bedd Gellert, ou o Túmulo de Gellert.

A história de Ivan

Antigamente, um homem e uma mulher viviam na freguesia de Llanlavan, em um lugar chamado Hwrdh. Mas o trabalho se tornou escasso naquelas redondezas, então o homem disse à esposa:

– Vou procurar trabalho, e você pode continuar morando aqui.

Ele se despediu e viajou para longe, em direção ao Leste, e por fim chegou à casa de um fazendeiro onde pediu trabalho.

– Que trabalho você pode fazer? – perguntou o fazendeiro.

– Posso fazer todos os tipos de trabalho – disse Ivan.

Então eles combinaram um pagamento de três libras de salário por ano. Quando chegou ao final de um ano, o patrão mostrou-lhe as três libras.

– Veja, Ivan – disse ele –, aqui está o seu salário. Mas, se me devolver o dinheiro, darei em troca um conselho.

– Dê-me o meu salário – disse Ivan.

– Não, não vou dar o dinheiro – disse o patrão. – Vou dar o conselho.

– Então me diga – disse Ivan.

E o patrão falou:

– Nunca abandone uma velha estrada por uma nova.

Depois disso, combinaram mais um ano de trabalho com o mesmo valor de salário e, no final, em vez do dinheiro, Ivan recebeu mais um conselho, que foi este:

– Nunca se hospede em um lugar onde um velho é casado com uma jovem.

A mesma coisa aconteceu ao final do terceiro ano de trabalho, quando o conselho recebido foi:

– A honestidade é a melhor política.

Contudo, Ivan não ficou mais na fazenda, quis voltar para sua esposa.

– Não vá hoje – disse o patrão –; amanhã minha esposa fará um pão para você levar para casa, para sua boa mulher.

E, quando Ivan estava indo embora, o patrão falou:

– Aqui está o pão para levar para sua esposa. Abra-o quando vocês estiverem muito felizes, não antes disso.

Então Ivan se despediu deles e seguiu seu caminho para casa, e finalmente foi a Wayn Her, onde encontrou três mercadores de Tre Rhyn, de sua própria freguesia, voltando da Feira de Exeter.

– Olá, Ivan! – cumprimentaram eles. – Venha conosco; estamos felizes em ver você. Onde esteve esse tempo todo?

– Estive trabalhando – disse Ivan – e agora estou voltando para casa, para minha esposa.

– Oh, venha conosco! Você será bem-vindo.

Os mercadores quiseram seguir por um novo caminho, mas Ivan se manteve no antigo. Ladrões os atacaram antes que tivessem se afastado muito de Ivan, enquanto passavam entre os campos e casas da campina. Eles começaram a gritar:

– Ladrões!

E Ivan também gritou:

– Ladrões!

Os ladrões fugiram quando ouviram o grito de Ivan, pois acreditaram que estavam cercados, e os mercadores continuaram pela nova estrada enquanto Ivan seguiu pela antiga, até se encontrarem novamente no Mercado-Judeu.

– Oh, Ivan – disseram os mercadores –, estamos admirados; se não fosse por você, seríamos homens perdidos. Venha se hospedar conosco à nossa custa; você é bem-vindo.

Quando chegaram ao local onde costumavam se hospedar, Ivan disse:

– Preciso ver o dono da hospedaria.

– O dono? – indagaram surpresos. – O que você quer com ele? Aqui está a dona da hospedaria, ela é jovem e bonita. Se quiser ver o dono, você o encontrará na cozinha.

Então ele foi à cozinha para ver o dono da hospedaria e o encontrou. O homem era um velho fraco, ocupado em girar o espeto.

– Oh! oh! – afirmou Ivan. – Eu não vou ficar aqui, vou me hospedar na casa ao lado.

– Não vá ainda – disseram os mercadores. – Jante conosco e seja bem-vindo.

Acontece que a dona da hospedaria havia conspirado com um certo frade do Mercado-Judeu para assassinar o velho em sua cama naquela noite, enquanto o restante estivesse dormindo, e eles combinaram de pôr a culpa nos hóspedes.

Então, enquanto Ivan estava na cama da hospedaria ao lado, havia um buraco entre as casas através do qual ele viu uma luz. Ele se levantou, espreitou e ouviu o frade falar:

– É melhor eu cobrir este buraco, ou as pessoas da casa vizinha poderão ver nossas ações. – Então ele ficou de costas para o buraco enquanto a dona da hospedaria matava o velho.

Enquanto isso, Ivan pegou sua faca e, enfiando-a no buraco, cortou um pedaço redondo do manto do frade. Na manhã seguinte, a dona da hospedaria gritou que seu marido havia sido assassinado e, como não havia nem homem nem criança na casa além dos mercadores, ela declarou que eles eram os culpados e deveriam ser enforcados por causa disso.

Então eles foram capturados e levados para a prisão; até que, por fim, Ivan foi vê-los.

– Ai de mim! Ai de nós, Ivan! – lamuriaram. – A má sorte recaiu sobre nós. Nosso anfitrião foi morto ontem à noite, e seremos enforcados por isso.

– Ah, diga aos juízes para convocarem os verdadeiros assassinos – disse Ivan.

– Mas quem sabe quem foi o assassino? – perguntaram eles.

– Quem foi o assassino? – perguntou Ivan. – Se eu não for capaz de provar quem cometeu o assassinato, que me enforquem em seu lugar.

Então ele contou tudo o que sabia e mostrou o pedaço de manto do frade, e com isso os mercadores foram postos em liberdade, e a dona da hospedaria e o frade foram presos e enforcados.

Depois que voltaram todos juntos do Mercado-Judeu, disseram a ele:

– Venha até Coed Carrn y Wylfa, o Bosque da Pilha de Pedras da Vigilância, na freguesia de Burman.

Caminharam algumas horas juntos, mas em seguida as duas estradas se separaram, e, embora os mercadores desejassem que Ivan fosse com eles, ele preferiu seguir direto para casa, para encontrar sua esposa.

E, quando sua esposa o viu, exclamou:

– Chegou na hora certa! Aqui está uma bolsa cheia de ouro que encontrei. Ela não tem nome, mas certamente pertence ao grande senhor do castelo. Eu estava pensando no que fazer com ela quando você chegou.

Então Ivan pensou no terceiro conselho e disse:

– Vamos até lá, entregá-la ao senhor.

Então eles foram até o castelo, mas o senhor não estava nele, de modo que deixaram a bolsa com o criado que tomava conta do portão e depois voltaram para casa, onde viveram uma vida tranquila por um bom tempo.

Mas um dia o grande senhor parou em sua casa para beber água, e a esposa de Ivan lhe disse:

– Espero que o senhor tenha recebido a bolsa com todo o seu dinheiro.

– De que bolsa você está falando? – perguntou o senhor.

– Da bolsa que deixei no castelo – disse Ivan.

– Venham comigo e verificaremos esse assunto – disse o senhor.

Então Ivan e sua esposa foram ao castelo, e lá eles indicaram o homem a quem haviam dado a bolsa, e ele confessou que ficara com o dinheiro e, por isso, foi mandado embora. O senhor do castelo ficou tão satisfeito com Ivan que o contratou como seu criado no lugar do ladrão.

– A honestidade é a melhor política! – Ivan citou, enquanto entrava em seus novos aposentos. – Como estou feliz!

Então ele se lembrou do pão que seu patrão lhe entregara dizendo que ele deveria parti-lo quando estivesse feliz, e assim ele o fez. Eis que lá dentro estava o salário dos três anos em que Ivan trabalhara para ele.

Andrew Coffey

Meu avô, Andrew Coffey, era conhecido por toda a região como um homem tranquilo e decente. E, se toda a região o conhecia, ele a conhecia inteira, cada centímetro, colina, vale, pântano, pasto, campo e abrigo. Imagine sua surpresa, uma noite, quando se viu em uma parte do território que ele não conseguiu reconhecer de forma nenhuma. Ele seguia com seu bom cavalo a todo momento tropeçando em alguma árvore ou caindo em algum pântano que não deveria estar ali. Além disso, a chuva desabava em qualquer lugar em que houvesse uma clareira, e o vento frio de março varria as árvores. Ele ficou contente quando viu uma luz ao longe e, ao se aproximar, encontrou uma cabana, embora não conseguisse imaginar como ela surgira ali, por mais que tentasse. No entanto, depois de amarrar seu cavalo, ele entrou e encontrou o fogo ardendo na lareira, o que foi muito bem-vindo. E ali havia também uma poltrona bem colocada, que parecia dizer:

– Venha, sente-se em mim e descanse.

Não havia mais ninguém na sala. Ele se sentou e se sentiu animado após ficar aquecido e seco, mas o tempo todo ficou indagando-se sobre aquele lugar desconhecido.

– Andrew Coffey! Andrew Coffey!

Deus do céu! Quem o estava chamando, se não havia uma alma à vista? Por mais que olhasse ao redor, procurando dentro e fora da cabana, não encontrou nenhuma criatura, fosse com duas ou quatro pernas, pois seu cavalo havia sumido.

– Andrew Coffey! Andrew Coffey! Conte-me uma história. – A voz falou mais alto desta vez, e parecia estar mais perto.

Mas que coisa para se pedir! Já era incômodo o bastante ter de se sentar perto do fogo para se secar, sem ter que se preocupar com uma história.

– Andrew Coffey! Andrew Coffey! Conte-me uma história ou será pior para você.

Meu pobre avô ficou tão pasmo que só conseguiu ficar parado ali, sem pronunciar nenhuma palavra.

– Andrew Coffey! Andrew Coffey! Eu disse que seria pior para você!

E, com isso, um homem saltou para fora de um armário que Andrew Coffey não tinha notado, e ele parecia estar com uma raiva enorme. Mas não era isso. Ele trazia um galho de abrunheiro como se fosse usá-lo para arrebentar a cabeça de alguém. Mas também não era isso. Quando meu avô olhou-o mais atentamente, ele o reconheceu como Patrick Rooney, e todo o mundo sabia que, pescando em uma noite, muitos anos atrás, ele havia caído no mar.

Andrew Coffey não quis ficar ali parado, e saiu da casa o mais rápido que pôde. Correu sem pensar muito no que estava acontecendo, até que finalmente se deparou com uma grande árvore e se sentou para descansar.

Mal havia se sentado quando voltou a ouvir vozes.

– Esse traste é muito pesado.

– Continue carregando; vamos descansar quando chegarmos debaixo daquela grande árvore ali.

Ora, aquela era a árvore sob a qual Andrew Coffey estava sentado. Ou ao menos era o que ele pensava. Ao ver um galho à mão, ele escalou e logo se escondeu com alguma segurança. Melhor ver do que ser visto, pensou.

A chuva parou, e o vento diminuiu. A noite estava mais escura do que nunca, mas Andrew Coffey podia ver quatro homens, e eles carregavam uma grande caixa. Eles vieram para baixo da árvore, colocaram a caixa no chão, abriram-na e quem estavam carregando senão Patrick Rooney? Ele não proferiu uma palavra e parecia tão pálido quanto a neve.

Um dos homens juntou um pouco de mato, o outro pegou uma pederneira e a isca de fazer fogo, e logo eles fizeram uma grande e crepitante fogueira, e meu avô pôde ver Patrick claramente. Se ele estivera parado antes, estava ainda mais agora. Logo os homens tinham quatro estacas voltadas para cima e uma estaca na transversal, bem acima do fogo, como um espeto, e ali eles amarraram Patrick Rooney.

– Ele vai dar para o gasto – disse um –, mas quem vai cuidar dele enquanto estivermos fora, quem vai apagar o fogo e cuidar para que não esturrique?

Com isso, Patrick abriu os lábios:

– Andrew Coffey – disse ele.

– Andrew Coffey! Andrew Coffey! Andrew Coffey! Andrew Coffey!

– Agradeço muito a vocês, cavalheiros – disse Andrew Coffey –, mas na verdade não sei nada sobre esse assunto.

– É melhor você descer, Andrew Coffey – disse Patrick.

Aquela foi a segunda vez que ele falou, e Andrew Coffey decidiu que desceria. Os quatro homens foram embora, e ele ficou sozinho com Patrick. Então ele se sentou e manteve o fogo aceso, o espeto girando, e o tempo todo Patrick olhava para ele.

O pobre Andrew Coffey não conseguiu decifrar tudo que acontecia, de forma alguma, olhou para Patrick e para o fogo, e pensou na casinha na floresta, até se sentir bastante atordoado.

– Você está me queimando! – reclamou Patrick, muito curto e grosso.

– Peço perdão – disse Andrew –, mas posso lhe fazer uma pergunta?

– Se quiser uma resposta direta – disse Patrick –, desista ou será pior para você.

Mas meu avô não conseguia tirar aquilo da cabeça. As pessoas todas, de todos os lugares, não diziam que Patrick havia caído no mar? Aqueles pensamentos deixavam meu avô atordoado.

– Andrew Coffey! Andrew Coffey! Você está me queimando!

Meu avô sentia muito por isso e jurou que não faria novamente.

– É melhor que não faça mesmo – disse Patrick, e deu-lhe uma revirada de olhos e um sorriso cheio de dentes que causou arrepios na espinha de Andrew Coffey.

Bem, era estranho que ele estivesse ali em uma floresta densa, que nunca tinha visto, girando Patrick Rooney em um espeto. Você pode imaginar meu avô pensando e pensando e esquecendo-se do fogo.

– Andrew Coffey, Andrew Coffey, esta será a sua morte.

E, após ouvir isso, meu avô viu Patrick se libertar do espeto, e seus olhos e dentes brilhar. Meu avô não ficou parado ali, correu noite adentro na floresta. Pareceu-lhe que não havia uma pedra em que não tropeçasse, um galho que não lhe golpeasse o rosto e uma espinheira que não rasgasse sua pele. E, onde quer que houvesse uma clareira, a chuva caía forte, e o vento frio de março uivava.

Ficou contente por ver uma luz, e, um minuto depois, estava ajoelhado, atordoado, encharcado e enlameado ao lado da lareira. Os galhos queimavam e estalavam, e logo meu avô começou a se sentir um pouco mais aquecido, seco e tranquilo.

– Andrew Coffey! Andrew Coffey!

É difícil para um homem pular depois de passar por tudo que meu avô passou, mas ele deu um salto. E, quando ele olhou ao redor, onde mais poderia estar senão na mesma cabana onde encontrara Patrick da primeira vez?

– Andrew Coffey, Andrew Coffey, conte-me uma história.

– É uma história que você quer? – perguntou meu avô com toda ousadia que reuniu, pois estava cansado de ficar com medo.

– Bem, se você puder me contar esta história de hoje, ficarei grato.

E ele contou a história do que lhe acontecera do começo até o fim daquela noite. A história era longa e talvez Andrew Coffey estivesse cansado. Ele deve ter adormecido, pois quando acordou estava deitado na encosta da colina sob o céu aberto, e seu cavalo pastava ao seu lado.

Batalha dos pássaros

Vou contar uma história sobre a corruíra. Era uma vez um fazendeiro que estava procurando um empregado, e a corruíra voou até ele e perguntou:

– O que você está procurando?
– Estou procurando um empregado – disse o fazendeiro à corruíra.
– Você me contrata? – perguntou a corruíra.
– Você, sua pobre criatura, o que seria capaz de fazer?
– Faça um teste – disse a corruíra.

Assim, ele a contratou, e o primeiro serviço de que a encarregou foi debulhar no celeiro. A corruíra se pôs a debulhar, e para isso usou um mangual, por certo, mas deixou escapar um grão. Um rato apareceu e o comeu.

– É melhor você não fazer isso de novo – avisou a corruíra.

Ela continuou debulhando e deixou cair dois grãos. O rato voltou e os comeu. Então eles organizaram uma competição para ver quem era mais forte, e a corruíra chamou doze pássaros, enquanto o rato trouxe sua tribo.

– Você está com toda a sua tribo! – exclamou a corruíra.
– Tanto quanto você – disse o rato, esticando uma pata com orgulho. Mas a corruíra a quebrou com seu mangual, e houve uma batalha campal naquele dia.

Quando todas as criaturas terrestres e os pássaros estavam se reunindo para a batalha, o filho do rei de Tethertown avisou que assistiria à batalha e que levaria as notícias para seu pai, o rei, que nesse ano seria o rei das criaturas. A batalha acabou antes que ele chegasse, exceto por uma luta, que se deu entre um grande corvo negro e uma cobra. A cobra estava enroscada no pescoço do corvo, e o corvo prendia o corpo da cobra, logo abaixo da cabeça, com seu bico; parecia que a cobra seria a grande vitoriosa. Quando o filho do rei viu isso, ajudou o corvo e, com um golpe certeiro, arrancou a cabeça da cobra. Quando o corvo respirou fundo e viu que a cobra estava morta, disse:

– Por sua bondade para comigo hoje, darei a você uma visão. Suba agora na base das minhas asas.

O filho do rei abraçou o pescoço do corvo, que, ao alçar voo, levou-o acima de nove picos, nove vales e nove charcos de montanha.

– Está vendo aquela casa ali? – perguntou o corvo. – Vá até lá agora. É uma de minhas irmãs que mora ali, e eu garanto que você será bem recebido. Se ela lhe perguntar "Você esteve na batalha dos pássaros?", diga que sim. E, se ela perguntar "Você viu alguém como eu?", confirme, mas certifique-se de me encontrar amanhã de manhã aqui, neste lugar.

O filho do rei foi bem recebido naquela noite. Comeu de tudo o que havia para comer, bebeu de tudo o que havia para beber, teve água quente para seus pés e uma cama macia para seu corpo.

No dia seguinte, o corvo levou-o em um novo voo sobre seis picos, seis vales e seis charcos de montanha. Eles avistaram uma cabana ao longe, mas, por distante que estivesse, logo a alcançaram. Nessa noite ele também recebeu um bom tratamento: bastante comida e bebida, água quente para os pés e uma cama macia para o corpo. E no dia seguinte foi a mesma coisa; voaram acima de três picos, três vales e três charcos de montanha.

Na terceira manhã, em vez de se encontrar com o corvo como das outras vezes, com quem ele se deparou senão com o rapaz mais bonito que já vira, com anéis de ouro nos cabelos, e que trazia um embrulho na mão? O filho do rei perguntou a esse rapaz se ele tinha visto um grande corvo preto por ali.

O rapaz respondeu:

– Você nunca mais verá o corvo, pois aquele corvo sou eu. Eu havia sido enfeitiçado por um druida malvado; mas conhecer você me libertou, e por isso lhe darei este pacote. Agora – acrescentou o rapaz –, você deve voltar refazendo seus passos, deve dormir uma noite em cada casa; só não deve abrir o embrulho que estou dando a você até chegar ao lugar onde mais gostaria de morar.

O filho do rei deu as costas ao rapaz e virou-se para caminhar na direção da casa de seu pai; ele conseguiu hospedagem com as irmãs do corvo, do mesmo modo como havia conseguido enquanto a viagem avançava. Aproximando-se da casa de seu pai, teve de passar por um bosque fechado. Pareceu-lhe que o embrulho estava ficando pesado, e ele decidiu ver o que havia dentro dele.

Quando abriu o pacote, ficou surpreso. Em um piscar de olhos, deparou-se com o lugar mais grandioso que já vira. Um grande castelo com um pomar ao seu redor, onde havia todo tipo de erva e fruta. Ele ficou maravilhado e arrependido por ter aberto o embrulho, pois não estava em seu poder embrulhar o castelo novamente. Teria preferido que este lindo castelo ficasse no belo vale verde que quedava em frente à casa de seu pai. Ele olhou para cima e viu um enorme gigante vir em sua direção.

– Péssimo lugar para se construir uma casa, filho do rei – disse o gigante.

– Sim, mas não é aqui que eu gostaria que ela ficasse, embora, por acaso, agora ela esteja aqui – disse o filho do rei.

– Qual é a recompensa que ganharei se colocá-lo de volta no pacote, como estava antes?

– Qual recompensa você quer? – perguntou o filho do rei.

– Quero que me dê o primeiro filho que tiver, quando ele completar sete anos – disse o gigante.

– Se eu tiver um filho, você ficará com ele – disse o filho do rei.

Num piscar de olhos, o gigante colocou jardim, pomar e castelo de volta dentro do embrulho.

– Agora siga seu próprio caminho – disse o gigante –, e eu tomarei o meu; mas cumpra sua promessa, e, se você esquecer, eu o lembrarei.

O filho do rei seguiu pela estrada e, ao cabo de alguns dias, chegou ao lugar de que mais gostava. Ele abriu o pacote, e o castelo surgiu exatamente como antes. E, quando ele abriu a porta do castelo, deparou-se com a donzela mais bonita que já vira.

– Venha, filho do rei – convidou a linda donzela –, tudo está pronto, e se você quiser poderemos nos casar hoje mesmo.

– Esse desejo é todo meu – disse o filho do rei.

E no mesmo dia eles se casaram. Viveram felizes e, quando seu filho cumpriu sete anos e um dia, quem foi visto vindo ao castelo senão o gigante? O filho do rei foi lembrado de sua promessa ao gigante, e até então ele não tinha contado sobre isso à rainha.

– Deixe o assunto entre mim e o gigante – disse a rainha.

– Entregue seu filho – falou o gigante –, cumpra a sua promessa.

– Você o terá – disse o rei – quando a mãe dele aprontá-lo para a jornada.

A rainha vestiu o filho da cozinheira e o entregou ao gigante pela mão. O gigante foi embora com ele; mas ainda não haviam se afastado muito quando o gigante pôs um bastão nas mãos do menininho e lhe perguntou:

– Se seu pai tivesse esse bastão, o que faria com ele?

– Se meu pai tivesse esse bastão, bateria nos cachorros e nos gatos, para que não chegassem perto da carne do rei – disse o menininho.

– Você é o filho do cozinheiro – disse o gigante.

Ele o agarrou pelos dois pequenos tornozelos e o arremessou contra a rocha mais próxima. O gigante voltou para o castelo irado e enlouquecido, e disse que, se não lhe dessem o filho do rei, a pedra mais alta do castelo se tornaria a mais baixa.

A rainha disse ao rei:

– Vamos continuar tentando. O filho do mordomo tem a mesma idade do nosso filho.

Ela vestiu o filho do mordomo e o deu ao gigante pela mão. Não tinham se afastado muito do castelo quando o gigante colocou o bastão na mão do menino.

– Se seu pai tivesse esse bastão, o que faria com ele?

– Ele bateria nos cachorros e nos gatos quando se aproximassem das garrafas e dos copos do rei.

– Você é filho do mordomo – disse o gigante, e também estourou os miolos do menino contra a rocha.

O gigante voltou com muita raiva e fúria. A terra tremeu sob a sola de seus pés, e o castelo estremeceu com tudo o que havia nele.

– TRAGA PARA FORA O SEU FILHO – gritou o gigante –, ou num piscar de olhos a pedra mais alta desse castelo será a mais baixa.

Então eles tiveram que dar o filho do rei ao gigante. Quando se afastaram um pouco dali, o gigante mostrou ao menino o bastão que estava em sua mão e disse:

– O que seu pai faria com este bastão se o tivesse?

O filho do rei respondeu:

– Meu pai tem um bastão mais imponente que esse.

E o gigante perguntou:

– E aonde ele vai com seu bastão?

E o filho do rei respondeu:

– Ele fica sentado em sua cadeira real.

Então o gigante entendeu que estava com o menino certo.

O gigante o levou para sua própria casa e o criou como seu próprio filho. E um dia, quando o gigante estava longe de casa, o rapaz encantou-se com a música mais doce que já tinha ouvido e que vinha de uma sala no topo da casa do gigante. De relance, ele avistou uma jovem e encontrou o rosto mais bonito que já vira. Ela acenou para que ele se aproximasse um pouco mais e disse que seu nome era Mary Ruiva, pediu que ele fosse embora, mas se certificasse de voltar àquele mesmo lugar à meia-noite em ponto.

Ele fez como prometera. A filha do gigante surgiu ao lado dele em um piscar de olhos e disse:

– Amanhã você terá que escolher uma de minhas duas irmãs para se casar; mas diga que você não aceitará nenhuma delas, apenas eu. Meu pai quer que eu me case com o filho do rei da Cidade Verde, mas eu não gosto dele.

No dia seguinte, o gigante chamou suas três filhas e disse:

– Agora, filho do rei de Tethertown, você nada perdeu por morar comigo tanto tempo. Vai se casar com uma das minhas duas filhas mais velhas e seguirá para a casa de vocês no dia seguinte ao casamento.

– Se você me der a mão da linda irmã mais nova – disse o filho do rei –, farei como você quiser.

A cólera do gigante se acendeu, e ele disse:

– Antes de tomá-la, você deverá cumprir as três tarefas que vou lhe ordenar.

– Prossiga – disse o filho do rei.

O gigante o levou para o estábulo.

– Cem cabeças de gado estão estocadas neste estábulo, e ele não é limpo há sete anos – disse o gigante. – Preciso me ausentar de casa hoje, e, se este estábulo não estiver limpo antes do anoitecer, tão limpo que uma maçã dourada possa rolar de uma ponta a outra, você não apenas não se casará com minha filha, como de seu sangue fresco e tinto farei uma bebida que matará minha sede esta noite.

Ele começou a limpar o estábulo, mas isso era tão difícil quanto empacotar o oceano. Depois do meio-dia, quando o suor já o cegava, a filha mais nova do gigante foi até ele e disse:

– Você está sendo punido, filho do rei.

– Sim, estou – concordou o jovem.

– Venha – disse Mary Ruiva –, descanse um pouco.

– Farei isso – respondeu ele. – Há apenas a morte esperando por mim, de qualquer maneira.

Ele se sentou perto dela, mas estava tão cansado que adormeceu ao seu lado. Quando acordou, a filha do gigante não estava mais à vista, mas o estábulo estava tão limpo que uma maçã dourada rolaria de uma ponta a outra sem se sujar. Então o gigante chegou e disse:

– Você limpou o estábulo, filho do rei?

– Limpei – disse ele.

– Alguém o ajudou – disse o gigante.

– Em todo caso, não foi você quem o fez – disse o filho do rei.

– Certo, certo! – exclamou o gigante. – Já que trabalhou tanto hoje, amanhã você virá a esta hora para cobrir este estábulo com penas de pássaros, mas não poderá haver sequer duas penas da mesma cor.

Quando o sol nasceu, o filho do rei se pôs de pé, pegou seu arco e sua aljava de flechas para ir caçar pássaros. Ele caminhou pelas charnecas, porém os pássaros não eram tão fáceis de pegar. Ele os perseguiu até que o suor o cegasse. Por volta do meio-dia, quem apareceu senão Mary Ruiva?

– Você está se exaurindo, filho do rei – disse ela.

– Sim, estou – disse ele. – Só tombaram estes dois melros, e ambos da mesma cor.

– Venha descansar nesta linda colina – convidou a filha do gigante.

– É o que mais desejo – disse ele.

Ele imaginou que ela iria ajudá-lo desta vez também, por isso sentou-se perto dela e não demorou muito até que adormecesse.

Quando acordou, Mary Ruiva tinha sumido. Ele então voltou para casa e viu o estábulo coberto de penas. Quando o gigante voltou, ele disse:

– Cobriu o estábulo, filho do rei?

– Cobri – respondeu ele.

– Ou alguém o cobriu? – perguntou o gigante.

– Em todo caso, não foi você – disse o filho do rei.

– Sim, sim! – exclamou o gigante. – Agora, há um pinheiro ao lado daquele lago ali, e há um ninho de gralha-do-campo no topo. Você vai encontrar ovos no ninho, e eu vou comê-los na minha primeira refeição. Nenhum deles deve estourar ou quebrar, e há cinco ovos no ninho.

Logo pela manhã, o filho do rei foi até a árvore, que não foi difícil de encontrar; não havia árvore igual em toda a floresta. Do chão até o primeiro galho eram 150 metros. O filho do rei estava tentando escalar a árvore das formas mais difíceis, até que Mary Ruiva veio, como sempre, trazendo ajuda para ele.

– Você está esfolando suas mãos e seus pés.

– Ai! Sim, estou – disse ele. – Não consigo subir.

– Não é hora de desistir – disse a filha do gigante. – Agora você deve me matar, arrancar a carne dos meus ossos, destrinchá-los e usá-los como escada para subir na árvore. Quando você estiver subindo, eles vão aderir ao tronco como se fossem galhos nascidos dele, e, quando estiver descendo, depois de ter colocado seu pé em cada degrau, os ossos cairão em sua mão quando você os tocar. Certifique-se de se apoiar em cada osso, não deixe nenhum intocado; se você fizer isso, ele ficará para trás. Deixe toda a minha carne neste pano limpo, ao lado da nascente junto às raízes da árvore. Quando você voltar ao chão, arrume meus ossos, coloque a carne sobre eles, borrife-a com água da nascente, e eu estarei viva diante de você. Mas não deixe um único osso meu ficar na árvore.

– Como eu poderei matá-la depois de tudo que você fez por mim? – perguntou o filho do rei.

– Se você não obedecer, nós dois estaremos perdidos – disse Mary Ruiva. – Você deve subir na árvore; e para subir na árvore você deve fazer o que digo.

O filho do rei obedeceu. Ele matou Mary Ruiva, cortou a carne de seu corpo e separou os ossos, como ela havia ordenado.

Enquanto subia, o filho do rei colocou os ossos do corpo de Mary Ruiva ao longo do tronco da árvore, usando-os como degraus, até que ele chegou embaixo do ninho e se equilibrou no último osso.

Então ele pegou os ovos e, ao descer, pôs o pé em cada osso, depois levou-o consigo, até chegar ao último osso, que estava tão perto do chão que ele não chegou a tocá-lo com o pé.

Então ele organizou todos os ossos de Mary Ruiva ao lado da nascente, colocou a carne sobre eles e borrifou com a água. Ela se ergueu diante dele e disse:

– Não avisei que era para você não deixar nenhum osso intocado? Agora estou mutilada para o resto da vida! Você deixou meu dedo mindinho na árvore, e agora eu tenho apenas nove dedos.

"Agora vá para casa rapidamente com os ovos e se casará comigo esta noite, se for capaz de me reconhecer. Eu e minhas duas irmãs usaremos as mesmas roupas e teremos uma aparência semelhante, mas olhe para mim quando meu pai disser: 'Vá para sua esposa, filho do rei', e você verá uma mão sem o dedo mindinho".

Ele deu os ovos para o gigante.

– Certo, certo! – exclamou o gigante. – Prepare-se para o seu casamento.

De fato, o casamento aconteceu, e que belo casamento! Gigantes e cavalheiros, com o filho do rei da Cidade Verde entre eles. Eles se casaram, e a dança começou, e que alegre dança! A casa do gigante estava sacudindo de cima a baixo.

Mas chegou a hora de dormir, e o gigante disse:

– É hora de você ir descansar, filho do rei de Tethertown; escolha a sua noiva dentre aquelas moças, para levar consigo.

Mary Ruiva estendeu a mão em que faltava o dedo mindinho, e ele a segurou.

– Você acertou desta vez também; mas ainda vou conseguir pegar você de outro jeito – ameaçou o gigante.

Então foram descansar.

– Agora, não durma, ou será um homem morto – avisou ela. – Devemos fugir rápido, bem rápido, pois com certeza meu pai vai tentar matar você.

Eles saíram e montaram na potranca cinza-azulada do estábulo.

– Pare por um momento. Vou pregar uma peça naquele velho herói – disse ela.

A filha do gigante saltou da potranca e cortou uma maçã em nove partes; ela colocou duas partes na cabeceira da cama, duas partes no pé da cama, duas partes na porta da cozinha, duas partes na grande porta de entrada e uma do lado de fora da casa.

O gigante acordou e chamou:

– Está dormindo?

– Ainda não – disse a maçã que estava na cabeceira da cama.

Depois de um tempo, ele chamou e perguntou novamente.

– Ainda não – respondeu a maçã que estava no pé da cama.

Pouco depois, ele chamou mais uma vez:

– Está dormindo?

– Ainda não – disse a maçã na porta da cozinha.

O gigante chamou outra vez, e a maçã que estava na grande porta da frente respondeu.

– Agora você está distanciando-se de mim – disse o gigante.

– Ainda não – disse a maçã que estava fora da casa.

– Você está fugindo! – gritou o gigante.

O gigante deu um salto e foi até a cama, mas ela estava fria e vazia.

– Minha própria filha está me testando com seus truques! – resmungou o gigante. – Vou atrás deles.

Ao amanhecer, a filha do gigante disse que sentia o hálito do pai queimar em suas costas.

– Rápido – disse ela. – Coloque sua mão na orelha da potranca cinzenta, e tudo o que encontrar dentro dela, jogue para trás.

– Há um galho de espinheiro – disse ele.

– Jogue-o para trás – disse ela.

Assim que ele jogou, formaram-se trinta quilômetros de bosque de espinheiros, tão espessos que dificilmente uma doninha conseguiria atravessá-lo.

O gigante avançou impetuoso, e lá estava ele arranhando todo o seu corpo nos espinhos.

– Minha própria filha está usando seus truques para me enganar – disse o gigante. – Mas, se eu tivesse aqui meu machado grande e minha faca de madeira, não demoraria a abrir caminho através disto.

Ele foi para casa buscar o grande machado e a faca de madeira, e certamente não demorou muito em sua jornada, assim como não demorou a abrir caminho entre os espinheiros.

– Vou deixar o machado e a faca de madeira aqui até voltar – disse ele.

– Se vai deixar, vai deixar – cantou uma gralha-cinzenta que estava em uma árvore –, nós vamos roubar, vamos roubar!

– Se vão fazer isso – disse o gigante –, vou levá-las para casa. – Ele voltou para casa e deixou as armas lá.

No calor do dia, a filha do gigante sentiu novamente o hálito do pai queimar em suas costas.

– Coloque o dedo dentro da orelha da potranca e jogue para trás o que encontrar.

O filho do rei pegou uma lasca de pedra e, em um piscar de olhos, havia trinta quilômetros, de largura e de altura, de rochas cinzentas atrás deles.

O gigante veio a toda velocidade, mas não conseguiu ultrapassar as rochas.

– Os truques da minha própria filha são as coisas mais difíceis que já enfrentei – reclamou o gigante. – Mas, se eu tivesse minha alavanca e minha picareta poderosa, não demoraria a abrir caminho por estas rochas também.

Não havia outra solução, a não ser dar meia-volta e ir buscá-las; e assim ele partiu as rochas e não demorou a abrir um caminho através das pedras.

– Vou deixar as ferramentas aqui e não voltarei mais.

– Se você vai deixar, vai deixar – cantou a gralha-cinzenta –, nós vamos roubar, vamos roubar.

– Faça isso se quiser; não há mais tempo para voltar.

Na hora de suspender sua guarda, a filha do gigante disse que sentia o hálito do pai queimar em suas costas.

– Olhe dentro da orelha da potranca, filho do rei, ou então estaremos perdidos.

Ele o fez, e desta vez havia uma bexiga de água dentro da orelha. Ele a jogou atrás de si e surgiu um lago de água doce com trinta quilômetros de diâmetro. O gigante avançou, mas, com toda a pressa que tinha, acabou afundando no lago e não subiu mais à superfície.

No dia seguinte, os jovens companheiros avistaram a casa do rei.

– Agora meu pai afundou no lago e não nos incomodará mais – disse ela –; mas, antes de prosseguirmos, vá até a casa de seu pai e diga que está comigo. Não deixe nenhum homem nem criatura beijar você, pois, se isso acontecer, não se lembrará mais de mim.

Todos que o filho do rei encontrou lhe deram boas-vindas e desejaram boa sorte, e ele pediu a seu pai e sua mãe que não o beijassem; entretanto, como o infortúnio anda sempre à espreita, a velha cadela de caça estava dentro de casa, e ela o reconheceu e pulou na direção de sua boca, lambendo-o com alegria. Depois disso, ele não se lembrou mais da filha do gigante.

Mary Ruiva estava sentada ao lado do poço quando o filho do rei a deixara, e ele não voltou mais. Na madrugada, ela subiu em uma árvore de carvalho que ficava ao lado do poço e passou a noite toda deitada em uma bifurcação dos ramos. Um sapateiro tinha uma casa perto do poço e, no dia seguinte, por volta do meio-dia, pediu à esposa que fosse buscar água para ele. Quando a mulher do sapateiro se inclinou sobre o poço, enxergou a sombra da moça que estava na árvore e acreditou que era a sua própria sombra. Então ela pensou que nunca tinha se dado conta de que era tão bonita e, distraída, deixou cair a vasilha que trazia nas mãos e ela se quebrou no chão, de modo que a mulher voltou para casa sem vasilha nem água.

– Onde está a água, mulher? – perguntou o sapateiro.

– Seu sapateiro velho, arrogante, desprezível e desgraçado, passei tempo demais sendo sua escrava buscadora de água e de lenha!

– Eu acho, mulher, que você enlouqueceu. Vá você, minha filha, rápido, buscar água para o seu pai.

A filha foi até o poço e também viu a imagem de mulher refletida na água. Ela nunca havia pensado que era tão adorável, e voltou para casa.

– Sirva-me um pouco de água – pediu o pai.

– Seu sapateiro rude, acha que sou sua escrava?

O pobre sapateiro achou que algo acontecera e as havia feito mudar de ideia e decidiu ir pessoalmente ao poço. Ele enxergou a sombra da donzela no poço, olhou para a árvore e deparou-se com a mulher mais linda que já vira.

– Seu assento é instável, mas seu rosto é formoso – disse o sapateiro. – Desça, preciso de você por um breve momento em minha casa.

O sapateiro entendeu que fora a sombra refletida que enlouquecera sua esposa e sua filha. Então ele levou a moça para casa e avisou que tinha apenas uma pobre cabana, mas que ela receberia uma parte de tudo o que havia dentro dela.

Um dia o sapateiro havia terminado de confeccionar sapatos novos e estava indo ao castelo com os sapatos dos jovens que participariam naquele mesmo dia do casamento do filho do rei, quando a moça pediu a ele:

– Gostaria de ver o filho do rei antes de ele se casar.

– Venha comigo – disse o sapateiro. – Conheço bem os servos do castelo, e você verá o filho do rei e todo o seu séquito.

Quando os cavalheiros viram a linda mulher que estava ali, eles a levaram para a sala onde aconteceria o casamento e encheram para ela uma taça de vinho. Quando ela ia beber, uma chama se formou na taça, e um pombo dourado e um pombo prateado saltaram dela. Estavam voando quando três grãos de cevada caíram no chão. O pombo prateado avançou e comeu tudo.

O pombo dourado disse a ele:

– Se você se lembrasse de quando limpei o estábulo, não comeria isso sem me dar uma parte.

Novamente caíram três outros grãos de cevada, e o pombo prateado avançou e comeu tudo como fizera antes.

– Se você se lembrasse de quando cobri o estábulo de penas, não comeria isso sem me dar a minha parte – reclamou o pombo dourado.

Três outros grãos caíram, e o pombo prateado avançou e comeu tudo.

– Se você se lembrasse de como eu alcancei o ninho das pegas, não comeria isso sem me dar uma parte – disse o pombo dourado. – Eu perdi meu dedo mindinho trazendo os ovos ao chão, e eu ainda o quero.

O filho do rei ouviu aquilo e então soube quem estava diante dele.

– Bem – disse o filho do rei aos convidados da festa –, quando eu era um pouco mais jovem do que agora, perdi a chave de um porta-joias que tinha. Mandei fazer uma chave nova, mas, depois que ela foi trazida, encontrei a antiga. Agora, vou deixar que qualquer um aqui me diga o que devo fazer. Com qual das chaves devo ficar?

– Meu conselho para você – disse um dos convidados – é que fique com a chave velha, pois ela se encaixa melhor na fechadura, e você está mais acostumado com ela.

Então o filho do rei levantou-se e disse:

– Agradeço pelo conselho sábio e pela palavra honesta. Esta é minha noiva, a filha do gigante que salvou minha vida, arriscando-se com bravura. Casarei com ela e com nenhuma outra mulher.

Então o filho do rei se casou com Mary Ruiva, o casamento durou muito tempo, e todos foram felizes. Mas tudo que consegui foi um pouco de manteiga na brasa, mingau em uma cesta, e depois eles me mandaram buscar água no riacho, onde os meus sapatos de papel se desfizeram.

Sopa na casca do ovo

Em Treneglwys há a cabana de um certo pastor que ficou conhecida pelo nome de Twt y Cymrws por causa de um estranho acontecimento que ali ocorreu. Certa vez, moravam lá um homem e sua esposa, e eles tinham gêmeos de quem a mulher cuidava com grande ternura. Um dia ela foi chamada para ir à casa de uma vizinha que morava a alguma distância. Ela não gostava muito de sair e deixar seus filhos sozinhos em uma casa solitária, especialmente porque ouvira falar de um certo povo que assombrava a vizinhança.

Bem, ela foi e voltou o mais rápido que pôde, mas, no caminho de volta, embora fosse ainda meio-dia, ela ficou amedrontada ao ver algumas velhas elfas de saias azuis cruzar seu caminho. Ela correu para casa, assustada, e encontrou seus filhos pequenos no berço, e tudo parecia bem como antes.

No entanto, depois de algum tempo, esse bom casal começou a suspeitar de que algo estava errado, pois os gêmeos não cresciam.

O homem disse:

– Eles não são os nossos filhos.

A mulher replicou:

– E de quem mais deveriam ser?

A partir daí surgiu o grande conflito, de modo que os vizinhos batizaram o chalé em sua homenagem. A mulher ficou muito triste, então uma noite ela decidiu ir ver o Sábio de Llanidloes, pois ele sabia de tudo e poderia aconselhá-la sobre o que fazer.

Ela foi a Llanidloes e contou o caso ao Sábio. Em breve haveria uma colheita de centeio e aveia, então o Sábio disse a ela:

– Quando você preparar o almoço para os ceifeiros, separe a casca de um ovo de galinha e cozinhe um pouco de sopa nela, e leve-a até a porta como se fosse dá-la de almoço para os ceifeiros. Então escute se os gêmeos dizem alguma coisa. Se você os ouvir falar de coisas além da compreensão das crianças, volte, pegue-os e jogue-os nas águas do lago Elvyn. Mas, se você não ouvir nada notável, não os machuque.

Então, quando chegou o dia da colheita, a mulher fez tudo o que o Sábio ordenara: colocou um pouco da sopa que estava no fogo na casca de ovo, pegou-a e levou-a para a porta, e lá ela esperou com os ouvidos atentos. Foi quando ouviu uma das crianças dizer à outra:

– Eu conheci o fruto antes do carvalho, e antes da galinha, conheci o ovo; mas nunca ouvi falar de uma sopa na casca de ovo. Para os ceifeiros, será um estranho almoço.

Decidida, ela voltou para dentro de casa, agarrou os filhos e os jogou no lago Elvyn. Os duendes de calças azuis vieram e salvaram seus anões, e a mãe teve seus próprios filhos de volta; assim terminou a grande querela.

O rapaz com pele de bode

Há muito tempo, existiu uma viúva pobre que vivia perto de uma forja de ferro, nas redondezas de Enniscorth, e ela era tão pobre que não tinha roupas para vestir o filho; portanto costumava deixá-lo no depósito de cinzas, perto do fogareiro, onde deitava as cinzas quentes ao redor dele; e, conforme ele crescia, o depósito ficava cada vez mais fundo. Finalmente, por bem ou por mal, ela arranjou uma pele de bode e a prendeu em volta da cintura do filho, que se sentiu majestoso e foi dar um passeio pela rua. Então, na manhã seguinte, ela falou a ele:

– Tom, seu preguiçoso, você ainda não fez nada que preste. Tem mais de um metro e oitenta e já passou dos dezenove anos. Pegue esta corda e me traga um feixe de gravetos do bosque.

– Não precisa pedir duas vezes, mãe – disse Tom. – Já estou indo.

Quando ele tinha juntado e amarrado os gravetos, quem surgiu senão um gigante de três metros de altura, que lhe deu uma pancadinha com seu porrete? Tom se virou, saltou para um lado e pegou uma vara de madeira; e a primeira pancada que ele deu no grandalhão o fez beijar o chão.

– Se você tiver alguma oração preferida, agora é a hora de rezar – disse Tom –, antes que eu o reduza a pedacinhos.

– Não tenho orações para rezar – disse o gigante –, mas, se você poupar minha vida, eu lhe darei meu porrete; e, enquanto você se mantiver longe do pecado, com ele vencerá todas as batalhas que travar.

Tom não hesitou em deixá-lo ir embora; e, assim que pôs as mãos no porrete, sentou-se no feixe de gravetos e deu uma pancadinha nele, dizendo:

– Gravetos, eu tive muito trabalho para juntá-los e até arrisquei minha vida por vocês. O mínimo que podem fazer é me levar para casa.

Certamente o som dessas palavras soou como ordem, e os gravetos prontamente obedeceram. Saíram pelo bosque, rangendo e estalando, até chegar à porta da viúva.

Depois que todos os gravetos foram queimados, Tom foi enviado novamente para recolher mais; e desta vez ele teve que lutar com um gigante de duas cabeças. Tom teve um pouco mais de dificuldades com ele, só isso; e, em vez de proferir orações, o gigante deu a Tom uma flauta, que, quando ele tocava, ninguém conseguia deixar de dançar. Então ele montou sobre o feixe de gravetos e o fez dançar até sua casa. O gigante seguinte foi um lindo rapaz de três cabeças. Assim como os outros, ele não tinha orações nem crenças; então deu a Tom um frasco de unguento verde, que impediria que ele se queimasse, se escaldasse ou se ferisse.

– Agora não restou mais nenhum de nós – disse o gigante. – Você pode vir e colher gravetos aqui até o grande Dia da Colheita, sem que nenhum gigante ou criatura das fadas venha perturbá-lo.

Com isso, Tom ficou mais orgulhoso do que dez pavões, e costumava passear pela rua no rastro do anoitecer; mas alguns dos meninos eram tão mal-educados quanto os mandriões de Dublin, e zombavam do porrete e da pele de bode de Tom. Ele não gostou disso, mas achou que seria muito cruel dar uma surra em um deles. Enfim, passou pela cidade uma espécie de sineiro que trazia consigo uma trompa de caça e um chapéu de caçador, além de vestir um tipo de camisa estampada. Então, esse homem – ele não era um mensageiro, e eu não sei exatamente como chamá-lo; esse corneteiro, talvez – proclamou que a filha do rei de Dublin estava muito melancólica e não ria havia sete anos, e que seu pai a concederia em casamento a quem a fizesse rir três vezes.

– É exatamente isso que devo tentar – disse Tom.

E assim, sem perder tempo, ele beijou a mãe, agitou seu porrete na direção dos meninos e partiu, seguindo pela estrada até a cidade de Dublin. Por fim Tom chegou a um dos portões da cidade, e os guardas riram e praguejaram contra ele em vez de deixá-lo entrar. Tom aturou isso por um tempo, mas por fim um deles enfiou a baioneta cerca de um centímetro em seu flanco, apenas por brincadeira, como ele dissera. Tom não fez outra coisa senão pegar o sujeito pela nuca e pelo cós das calças de veludo e jogá-lo no canal. Alguns dos guardas logo correram para retirar o sujeito da água e outros sacaram suas adagas e espadas a fim de ensinar boas maneiras ao bruto, porém uma pancada do porrete arremessou-os de cabeça para baixo no fosso ou nas pedras, e logo eles estavam implorando para que Tom parasse de atacá-los.

Por fim, um deles pareceu feliz em mostrar a Tom o caminho para o pátio do palácio; e, em uma galeria, encontraram o rei, a rainha e a princesa assistindo a vários tipos de lutas, demonstrações de esgrima, longas danças e pantomimas, tudo para agradar a princesa. Mas nenhum sorriso despontava em seu rosto bonito.

Todos eles pararam quando viram aquele jovem enorme, com seu rosto de menino, longos cabelos negros e uma barba curta e encaracolada, pois a pobre mãe dele não tinha dinheiro para comprar uma navalha para barbear, braços grandes e fortes, pernas nuas, e nenhuma roupa a não ser a pele de bode que o cobria da cintura aos joelhos. Porém, um sujeito um tanto mirrado e invejoso, de cabelos ruivos, que desejava casar-se com a princesa, não gostou do modo como ela abriu os olhos em admiração para Tom, e, de um jeito bastante ríspido, ele se adiantou e perguntou o que Tom queria ali.

– O que quero – disse Tom – é fazer a linda princesa, que Deus a abençoe, rir três vezes.

– Vê todos aqueles rapazes engraçados e os hábeis espadachins? – perguntou o outro. – São capazes de fazer você comer poeira, e, ainda assim, nem um deles arrancou sequer um sorriso dela nos últimos sete anos.

Então os companheiros dele cercaram Tom, e o sujeito mau o irritou até Tom lhes dizer que não se importava nem um pouco com eles; podiam vir, seis de cada vez, tentar fazer o que quisessem.

O rei, que estava longe demais para ouvir o que diziam, perguntou o que o estranho queria ali.

– Ele quer transformar seus melhores homens em lebres – disse o ruivo.

– Oh! – exclamou o rei. – Se é assim, deixe que um deles teste a sua coragem.

Então um dos homens avançou, com uma espada e um escudo que mais parecia uma tampa de panela, e lhe desferiu um golpe. Tom acertou o cotovelo dele com o porrete, quando a espada voou acima de sua cabeça, e o dono dela caiu no cascalho depois de levar uma pancada no elmo. Outro tomou seu lugar, e outro, e mais outro, e então meia dúzia de uma vez, e Tom fez espadas, elmos, escudos e corpos rolar; e eles berravam que haviam sido feridos, mutilados e incapacitados, esfregavam seus pobres cotovelos e quadris e saíam mancando. Tom decidiu não matar ninguém; e a princesa se divertiu tanto que deu uma gargalhada muito doce, que se fez ouvir por todo o pátio.

– Rei de Dublin – disse Tom –, conquistei uma parte de sua filha.

O rei não sabia se estava feliz ou arrependido, e todo o sangue do coração da princesa correu para seu belo rosto. Não houve mais combates naquele dia, e Tom foi convidado para jantar com a família real. No dia seguinte, o homem de cabelos ruivos contou a Tom sobre um lobo que tinha o tamanho de um novilho, costumava fazer rondas pelos muros do palácio e comia gente e gado, e comentou que prazer daria ao rei se ele o matasse.

– Com toda a minha boa vontade – disse Tom. – Mande um criado me mostrar onde ele vive, e veremos como ele se comporta com um estranho.

A princesa não gostou disso, pois Tom tinha arrancado uma risada dela, mas agora parecia uma pessoa muito diferente quando vestiu as roupas finas e usou o belo chapéu verde sobre os longos cabelos cacheados. No entanto, o rei deu seu consentimento; e, uma hora e meia depois, o terrível lobo entrou caminhando no pátio do palácio, seguido por Tom, um ou dois passos atrás dele, com seu porrete no ombro, exatamente como um pastor caminha atrás do seu cordeiro de estimação.

O rei, a rainha e a princesa estavam seguros em seu camarote, mas o povo da corte e os oficiais que faziam a patrulha nos muros, quando viram a enorme fera entrar no pátio, abandonaram os postos e começaram a fugir pelas portas e portões; e o lobo lambeu seu próprio bigode, como se dissesse: "Gostaria tanto de devorar alguns de vocês no café da manhã!"

O rei gritou:

– Ó Tom, leve embora esse lobo terrível, e você terá a minha filha.

Entretanto, Tom não deu nenhuma atenção ao rei. Como uma vingança, ele pegou sua flauta e começou a tocar, e não houve homem nem menino nem qualquer outra criatura naquele pátio que não começasse a agitar os pés, de modo que o próprio lobo foi obrigado a subir nas patas traseiras e dançar ao som de *Tatther Jack Walsh* como os outros. Uma boa parte das pessoas correu e fechou as portas, para que o animal peludo não as pegasse. Tom continuou tocando, e os forasteiros continuaram dançando e gritando, e o lobo continuou dançando e urrando de dor nas patas; e o tempo todo Tom não tirou o olho do Ruivo, que dançava sem parar, como os demais. Aonde quer que o Ruivo fosse, o lobo o seguia, e ficava com um olho nele e outro em Tom, para ver se ele lhe daria licença para devorá-lo. Mas Tom balançou a cabeça em negativa e não parou de tocar, e o Ruivo não parou de dançar e de berrar, e o lobo não parou de dançar e de urrar, o tempo todo com duas pernas para cima e as outras duas para baixo, prestes a cair de tanto cansaço.

Quando a princesa viu que não havia perigo de alguém ser morto, ela achou tão divertido ver o Ruivo metido naquela encrenca que deu outra grande risada. Tom se virou e gritou:

– Rei de Dublin, conquistei duas partes da sua filha.

– Ah, seja quantas partes for – disse o rei –, mate logo o maldito lobo, e conversaremos sobre isso.

Então, Tom colocou a flauta no bolso e se dirigiu ao lobo, que estava sentado sobre o rabo, prestes a desmaiar:

– Vá para a sua montanha, meu bom amigo, e viva como uma fera respeitável. Se eu o encontrar a menos de sete milhas de qualquer cidade, vou...

Ele não disse mais nada, apenas cuspiu em seu punho e agitou seu porrete. Isso era tudo o que o pobre lobo queria, e ele pôs o rabo entre as patas e deu no pé sem olhar para nenhum homem ou mortal; tampouco o sol, a lua ou as estrelas o viram novamente nos arredores de Dublin.

Durante o jantar, todos riam, exceto o Ruivo; e com certeza ele estava maquinando como se livrar do pobre Tom no dia seguinte.

– Bem, rei de Dublin, com certeza Sua Majestade está com sorte – disse ele. – Os dinamarqueses não param de nos importunar. Para o diabo com eles! Se há alguém que pode nos salvar, é esse cavalheiro com a pele de bode. Existe um mangual pendurado na viga do telhado do inferno, e nem dinamarquês nem o demônio podem resistir a ele.

– Então, poderei ficar com a outra parte da princesa se eu lhe trouxer o mangual? – Tom perguntou ao rei.

– Não, não – disse a princesa. – Prefiro nunca ser a sua esposa a vê-lo em perigo.

No entanto, o Ruivo deu uma cotovelada e sussurrou para Tom sobre como seria ruim recusar uma aventura. Então Tom perguntou para onde deveria ir, e o Ruivo o orientou.

Bem, ele viajou para muito longe, até que avistou as muralhas do inferno; e, juro, antes de bater nos portões, Tom untou-se com o unguento verde. Quando ele bateu, cem pequenos diabinhos colocaram a cabeça para fora das barras e perguntaram o que ele queria.

– Quero falar com o maior de todos os demônios – disse Tom. – 'Abram o portão.

Não demorou muito até que o portão se abrisse totalmente e o velho Diabo recebesse Tom com várias mesuras, perguntando o que ele desejava.

– Nada de mais – respondeu Tom. – Só vim pegar emprestado aquele mangual que vejo pendurado na viga do seu telhado para o rei de Dublin dar uma surra nos dinamarqueses.

– Ouça bem – explicou o Diabo –, os dinamarqueses são clientes muito melhores para mim; mas, como você se deu ao trabalho de vir até aqui, não vou recusar. Traga aquele mangual – disse ele a um jovem diabinho, e ao mesmo tempo piscou o olho.

Então, enquanto alguns estavam bloqueando os portões, o diabinho subiu e derrubou o mangual que tinha o cabo e as pontas feitos de ferro ardente. O pequeno malandro sorria ao pensar em como a arma queimaria as mãos de Tom; mas o mangual não fez uma queimadura no jovem, foi inofensivo como uma mudinha de carvalho.

– Obrigado – agradeceu Tom. – Agora, gostaria que abrissem o portão para mim, e então eu não lhes causarei mais problemas.

– Ah, seu safado! – exclamou o velho Diabo. – Então é assim? É mais fácil entrar por aquele portão do que sair. Peguem a arma dele e lhe deem uma bela coça.

Um dos diabos esticou as garras para pegar o mangual, mas Tom deu-lhe tamanha pancada no lado da cabeça que um dos chifres se quebrou, e isso o fez urrar como o demônio que era. Bem, os outros correram para cima de Tom para atacá-lo, mas receberam uma surra tão grande que eles não se esqueceriam tão cedo. Por fim, disse o chefe de todos, esfregando o cotovelo:

– Soltem o tolo; e ai do diabo que o deixar entrar de novo, seja grande ou pequeno.

Assim, Tom saiu marchando e partiu com o mangual, sem se importar com os gritos e xingamentos que lançavam contra ele desde o alto das muralhas; e, quando ele voltou para dentro dos muros do palácio, nunca se viu tanta gente correr para vê-lo chegar com o mangual. Depois de contar a história, Tom colocou o mangual nos degraus de pedra e advertiu que ninguém o tocasse se tivesse amor à vida. Se o rei, a rainha e a princesa o tinham em boa conta antes, agora sua reputação era dez vezes melhor; porém o Ruivo, malvado como era, pensou em pegar o mangual para acabar com Tom. Seus dedos mal haviam tocado a arma quando ele soltou um rugido como se o céu e a terra estivessem se unindo, e ficou balançando os braços e sapateando tanto que dava pena olhar para ele. Tom correu até ele assim que conseguiu se levantar, segurou a mão do Ruivo entre as suas e as esfregou de um jeito que a dor da queimadura desapareceu mais rápido do que você pode imaginar. O pobre sujeito, com a dor que acabara de sentir e o alívio que agora sentia, tinha a expressão mais cômica que você já viu, era uma mistura de risada e choro. Todos desataram a rir, e a princesa, assim como os outros, não conseguiu evitar a gargalhada. Então Tom falou:

– Agora, se existirem cinquenta partes suas, senhora, espero ter ganhado todas.

Bem, a princesa olhou para o pai e, juro para você, ela se aproximou de Tom e colocou suas mãos delicadas entre aquelas mãos ásperas, e eu mesmo adoraria estar no lugar dele naquele dia!

Tom não traria o mangual para dentro do palácio, e você pode ter certeza de que ninguém mais se aproximou daquela arma. Quando os madrugadores passaram por ali na manhã seguinte, encontraram duas longas fendas na rocha, onde o mangual estivera antes de queimar um buraco no chão e desaparecer dentro dele, e ninguém sabe dizer a que profundidade ele foi parar. No entanto, um mensageiro chegou ao meio-dia e disse que os dinamarqueses ficaram tão assustados quando ouviram falar sobre o mangual que fora trazido a Dublin que entraram em seus navios e foram embora.

Bem, suponho que, antes de se casar, Tom conseguiu que algum cavalheiro, como Pat Mara de Tomenine, ensinasse a ele os "princípios de etiqueta", bons costumes, artilharia e construção de fortificações, cálculo, frações decimais e a regra do três, de sorte que ele conseguisse manter uma conversa com a família real. Não tenho certeza se ele já se ocupou estudando todas essas ciências, mas é tão certo o destino que sua mãe nunca mais passou necessidade até o fim de seus dias.